LIVING GERMAN LITERATURE

VOLUME ONE

BY

ROBERT LOHAN, Ph.D.

FOURTH EDITION, REVISED AND ENLARGED

FREDERICK UNGAR PUBLISHING COMPANY

NEW YORK

PUBLISHERS' NOTE

To this new addition of *Living German Literature*, volume I, have been added a series of questions and a helpful Word List, both of which are certain to increase the usefulness of the text. The author had such additions in mind for some time for this and succeeding volumes. It is to be regretted that because of his untimely death Dr. Lohan did not see the publication of this fourth edition with its newly appended sections.

PREFACE

TO THE FIRST EDITION

This book grew up in the classroom.

When, some years ago, I took over two advanced German classes at a Midwestern college, the fundamental question arose, "What shall we read?" The answer was obvious: "Certainly only the best that German literature has to offer." Time is too precious to waste it on mediocre and indifferent reading. I was firmly resolved to break away from these shallow and obsolete stories which abound in school editions. The student gets the erroneous idea that German literature has reached its peak in *Immensee*, Storm's first attempt which he readily disavowed later, *L'Arrabiata*, which is almost unbearable nowadays, and perhaps Mr. Slezak's *Sämtliche Werke*. It is as if Wieland and Lessing, Goethe and Schiller, Grillparzer and Kleist, Hebbel and Otto Ludwig, Heine and Lenau, Hermann Hesse and Thomas Mann, Gerhart Hauptmann and Arthur Schnitzler had never written a word.

My predecessor seemed to have taken a view similar to mine, because the catalogue announced a course on *Wallenstein* and another one on *Faust*. Courageously I went to work.

But soon I had to admit that the difficulties were insurmountable. The students' vocabulary was much too small. They hated to look up every second word in the dictionary, and often they did not find the proper equivalent so that the passage did not make much sense. Sentence constructions, if even a little complicated, were not recognized. The class complained that an assignment of fifty verses took them three hours.

I gave up. Even if I had carried through, what would have been the result? By the skin of our teeth we would have covered in two semesters some 2500 verses—about one-third of *Wallenstein*—and in the most advanced class, maybe the first part of *Faust* (4600 verses). Moreover, the students would have had enough of these two dramas, and never again would they want to touch anything reminding them of German classics.

The problem was to find the simplest and most agreeable way to introduce to the student those works which are still alive and of value to English speaking people. If I gave selections of poetry, plays, and novels in a condensed form which stressed the high points, and if I could supersede the dictionary, the young people would be interested and perhaps stimulated to read the entire work at a later time. But no such anthology was available.

To understand and appreciate literature the student must also know something of its development, its cultural and historic background. While there are a number of historical surveys—some in English, some in German—all of them are cluttered with names and dates. They are patterned upon books used in Germany by Germans. They lack the courage or the insight to omit items which do not mean much to Americans, and they lack the imagination to highlight the points of importance to English speaking people. Those written in German use a stilted literary language which is both old-fashioned and difficult to understand.

What could be done? I decided to write out the lessons I had in mind and offer them to the classes on mimeographed sheets. The students liked them immensely. The marginal notes and the visible vocabulary, which makes the use of a dictionary almost superfluous, were greatly appreciated, the more so as they had been worked out in collaboration with the students who know best what explanations are needed.

I wish to acknowledge with gratitude the zeal and enthusiasm of my collaborators, first of all of Mr. John Adams, who spent many hours on this lexicographical work.

The book can be used for both intermediate and advanced classes in high schools and colleges.

Oneonta, N. Y.   ROBERT LOHAN
    April, 1944.

TO THE SECOND EDITION

The first edition having been received so favorably, the welcome opportunity of revising it was provided sooner than expected. The book has been improved by the incorporation of suggestions offered by reviewers and teachers who have used the text in the classroom.

I wish to thank all those who have taken an interest in the attempt, especially Professor *Siegfried· H. Muller* of Adelphi College.

June, 1945.   R. L.

TO THE THIRD EDITION

Changes made in this edition have been limited to the marginal notes. For most improvements the author is indebted to Professor George E. Condoyannis, Boston.

October, 1946.   R. L.

CONTENTS

DIE MITTELHOCHDEUTSCHE ZEIT

WIR übergehen[1] die ersten vier Jahrhunderte deutscher Dichtung[2]. Die Werke dieser Zeit, die man die "althochdeutsche" nennt, sind auch für Deutsche schwer verständlich. Die Sprache muß wie eine Fremdsprache studiert werden. Die interessanteste Dichtung ist der HELIAND, d. h.[3] Heiland[4], um das Jahr 830 von einem unbekannten Mönch[5] verfaßt[6]. Der "Heliand" ist ein Epos auf das Leben Christi auf Grund[7] der vier Evangelien[8]. Wir nennen so ein Werk eine Evangelienharmonie.

Die *"mittelhochdeutsche"* Zeit beginnt etwa um das Jahr 1100 und endet um 1500 (Luthers Bibelübersetzung[9]). Die mittelhochdeutsche Literatur ist fast ausschließlich[10] Versdichtung[11]. Die Sprache ist leichter verständlich als die althochdeutsche, aber noch recht verschieden[12] von der heutigen, der "neuhochdeutschen" Sprache.

Während[13] in der althochdeutschen Zeit die Dichtkunst hauptsächlich[14] in den Händen von Mönchen lag, trat jetzt eine neue Art von Dichtern in Erscheinung[15], der "Spielmann[1]". Der Spielmann wanderte von einem Ort zum andern und sang in Schlössern, Herbergen[2] und auf Marktplätzen. Er erhielt die alten Sagen lebendig[3], die ohne ihn verloren gegangen wären[4].

Den Höhepunkt[5] der Spielmannspoesie bilden die beiden großen deutschen "Volksepen"[6], das NIBELUNGENLIED und das GUDRUNLIED, die man mit der Ilias und Odyssee verglichen hat. Beide entstanden[7] in Österreich, um das Jahr 1200. (Dieses Datum ist wichtig, denn es gibt uns die Blütezeit[8] der mittelhochdeutschen Dichtung an[9].)

Alte Sagen[10] hatten in den Gesängen der Spielleute durch die Jahrhunderte fortgelebt[11]. Sie waren z. T.[12] heidnischen[13] Ursprungs[14], z. T. gingen sie auf die historischen Ereignisse[15] der Völkerwanderung[1]

---

[1]*überge'hen,* to pass over, omit
[2]in a wider sense: literary art

[3]*das heißt,* i.e.
[4]Saviour
[5]monk
[6]*verfassen,* to compose
[7]based on
[8]*das Evangelium,* gospel

[9]*Übersetzung,* translation
[10]exclusively
[11]poetry

[12]different

[13]while
[14]mainly

[15]*in Erscheinung treten,* to come into evidence
[1]"gleeman", minstrel

[2]*die Herberge,* inn
[3]*lebendig erhalten,* to keep alive
[4]*verloren gehen,* to be lost
[5]climax

[6]*das Volksepos,* national epic

[7]*entstehen,* to originate

[8]golden age, classical period
[9]*angeben,* to give, indicate

[10]*die Sage,* legend
[11]*fortleben,* to live on, survive
[12]*z. T.=zum Teil,* partly
[13]pagan   [14]origin
[15]*das Ereignis,* event
[1]Migration

9

zurück[2]. Nun wurden sie von *einem* Spielmann, dessen Namen wir nicht kennen, gesammelt[3] und in epische Form gegossen[4].

Das Nibelungenlied

erzählt, wie der sagenhafte[5] Held Siegfried von Hagen erschlagen[6] wird. Seine Witwe Kriemhilde heiratet den Hunnenkönig Attila und rächt sich[7] mit dessen Hilfe an dem Mörder und an ihren Brüdern, die an dem Verbrechen[8] mitschuldig[9] sind.

[2]*zurückgehen,* to trace back

[3]*sammeln,* to collect
[4]*gießen,* to mould

[5]mythical

[6]to kill

[7]*sich rächen,* to avenge oneself

[8]crime
[9]accessory to

Aus der ersten "Aventiure"	From the first "Adventure"
Uns ist in alten maeren wunders vil geseit *von helden lobebaeren, von grôzer arebeit,* *von vröuden, hôchgezîten, von weinen und von klagen,* *von küener recken striten muget ir nu wunder hoeren sagen.*	To us in olden story are wonders many told Of heroes rich in glory, of trials manifold, Of joy and festive greeting, of weeping and of woe, Of keenest warriors meeting shall ye now many a wonder know.
Ez wuohs in Burgonden ein vil edel magedin, *daz in allen landen niht schoeners mochte sin.* *Kriemhilt was si geheizen und was ein schoene wîp,* *darumbe muosen degene vil verliesen den lip.*	There once grew up in Burgundy a maid of noble birth, Nor might there be a fairer than she in all the earth. Kriemhild hight the maiden and grew a dame full fair, Through whom high thanes a many to lose lives soon doomèd were.
. . . . . . *In disen hôhen êren troumte Kriemhilde,* *wie si züge einen valken starc, schoen und wilde,* *den ir zwên arn erkrummen; daz si daz muoste sehen:* *ir enkunde in dirre werlde nimmer leider sin geschehen.*	. . . . . . Amid this life so noble did dream the fair Kriemhild How that she reared a falcon, in beauty strong and wild, That by two eagles perished; the cruel sight to see Did fill her heart with sorrow as great as in this world might be.
Den troum si dô sagete ir muoter Uoten. *sine kunde 's niht bescheiden baz der guoten:* *"der valke, den du ziuhest, daz ist ein edel man.* *in welle got behüeten, du muost in schiere vloren hân."*	The dream then to her mother Queen Ute she told. But she could not the vision than thus more clear unfold: "The falcon that thou rearedst, doth mean a noble spouse. God guard him well from evil or thou thy hero soon must lose."
"Was saget ir mir von manne, vil liebiu muoter min? *âne recken minne sô wil ich immer sin.* *sus schoene wil ich beliben unz an minen tôt,* *daz ich von mannes minne sol gewinnen nimmer nôt."*	"Of course, o darling mother, what dost thou tell to me? Without a knight to woo me, so will I ever be. Unto my latest hour I'll live a simple maid, That I through lover's wooing ne'er be brought to dearest need."

"Nu versprich es niht ze sêre," sprach aber ir muoter dô.
"soltu immer herzenlîche zer werlde werden vrô,
daz geschiht von mannes minne. du wirst ein schoene wîp,
obe dir got noch gevüeget eins rehte guoten ritters lîp."

"Die rede lât belîben," sprach si, "vrouwe mîn.
ez ist an manegen wîben vil dicke worden schîn,
wie liebe mit leide ze jungest lônen kan.
ich sol si mîden beide, son' kan mir nimmer missegân."

"Forswear it not so rashly," her mother then replied.
"On earth if thou wilt ever cast all care aside,
'Tis love alone will do it. Thou shalt be man's delight,
If God but kindly grant thee to wed a right good valiant knight."

"Now urge the case, dear mother," quoth she, "not further here.
Fate of many another dame hath shown full clear
How joy at last doth sorrow lead oft-times in its train.
That I no ruth may borrow, from both alike I'll far remain."

Die Schlußverse des Epos, das mehr als 2000 Strophen hat, lauten:

Diu vil michel êre was dâ gelegen tôt.
die leute hêten alle jâmer unde nôt.
mit leide was verendet des küneges hôchgezît,
als ie diu liebe leide ze aller jungeste gît.
Ich enkan iu niht bescheiden, waz sider dâ geschach:
wan ritter unde vrouwen weinen man dâ sach,
dar zuo die edelen knehte ir lieben vriunde tôt.
hie hât daz maere ein ende. daz ist der Nibelunge nôt.

Who late stood high in honor now in death lay low,
And fate of all the people weeping was and woe.
To mourning now the monarch's festal tide had passed,
As falls that joy to sorrow turneth ever at last.

Nor can I tell you further what later did befall:
But that good knights and ladies saw ye mourning all,
And many a noble squire, for friends in death laid low.
Here hath the story ending. That is the Nibelungen woe.

Das *Gudrunlied* handelt[3] von den Abenteuern[4] der schönen Gudrun, die, während ihr Bräutigam im Kriege ist, von einem andern Freier[5] entführt[6] wird. Erst[7] nach vielen Jahren wird sie von ihrem Geliebten und ihrem Bruder befreit.

Man kann den Spielmann als den professionellen Dichter bezeichnen[8]. Im 12. Jahrhundert entstand ihm ein Konkurrent[9] in dem aristokratischen Dilettanten. Es gehörte zu den Pflichten[10] der Ritterlichkeit[11], daß man neben den Taten zu Ehren Gottes auch die Kunst zu pflegen[12] hatte. Sogar die Kaiser Heinrich VI. und Friedrich II. dichteten. Obwohl viele dieser ritterlichen Dichter einen großen Teil ihrer Zeit mit Schreiben verbrachten, betrachteten[13] sie doch das Rittertum als ihre Hauptaufgabe[14] und das Dichten nur als Nebenbeschäftigung[1]. Sie

[3]deals with, tells of
[4]*das Abenteuer*, adventure
[5]suitor
[6]*entführen*, to abduct
[7]only
[8]to call
[9]competitor
[10]obligation
[11]chivalry
[12]to cultivate
[13]*betrachten*, to consider
[14]main business
[1]sideline

11

schrieben lyrische Gedichte und Epen. Die Lyrik entwickelte sich[2] zum "Minnesang", die Epik zum sogenannten "HÖFISCHEN EPOS".[3]

[2]*sich entwickeln,* to develop
[3]Court Epic

Das "höfische Epos" unterscheidet sich vom "Volksepos" besonders in der Wahl[1] der Stoffe[2]. Während das Volksepos deutsche Sagenstoffe[3] behandelt, ist das höfische Epos im Grunde[4] eine freie Übersetzung französischer Dichtungen, besonders des berühmten Chrestien de Troyes. Die Themen sind dem großen Sagenkreis[5] von König Artus und den Rittern der Tafelrunde[6] entnommen[7]. Ihr Zweck ist die Verherrlichung[8] wahren Rittertums. Den Höhepunkt erreicht[9] diese Epik zu derselben Zeit wie das Volksepos und der Minnesang, nämlich um 1200.

[1]*die Wahl,* choice
[2]*der Stoff,* subject
[3]legendary subjects
[4]basically
[5]legendary cycle
[6]the knights of the Round Table
[7]*entnehmen,* take from
[8]glorification
[9]*erreichen,* to attain

Das bedeutendste Werk der ritterlichen Epik und vielleicht die bedeutendste Dichtung des Mittelalters[10] ist der

[10]Middle Ages, medieval times

Parzival

des **Wolfram von Eschenbach,** ein Buch von fast 25.000 Versen. Es ist nicht nur eine Abenteuergeschichte, sondern die Darstellung[11] der geistigen und seelischen Entwicklung[12] eines Menschen. Parzivals Reisen sind zugleich die Reisen einer Seele durch die Prüfungen und Versuchungen[13] des Lebens. Parzival gewinnt nach vielen Taten und Leiden den "Gral", das Symbol des wahren Glücks auf Erden, mit dem auch die ewige Seligkeit[14] verbunden ist, da er in allen Wechselfällen[15] des Lebens und in allen seinen Verirrungen[1] sich selbst treu bleibt und nur *ein* Ziel im Auge behält[2], nach dem er unablässig[3] strebt[4]. Man hat diesen Grundgedanken[5] des "Parzival" oft mit dem in Goethes "Faust" verglichen. Durch Richard Wagners weltberühmte Oper ist die Dichtung auch heute noch überall bekannt. Ein paar Verse aus dem ersten Buch:

[11]account
[12]development
[13]trials and temptations
[14]eternal bliss
[15]*der Wechselfall,* vicissitude
[1]*die Verirrung,* error
[2]*im Auge behalten,* to keep in mind
[3]unceasingly
[4]*streben,* to strive
[5]fundamental idea

(Parzivals Mutter fürchtet, er könnte wie sein Vater in ritterlichen Abenteuern sein Leben verlieren. Deshalb zieht sie sich mit ihm in die Einsamkeit zurück[6] und läßt

[6]*sich zurückziehen,* to retire

12

ihn in Unwissenheit[7] aufwachsen[8]. Eines Tages hört er das Wort "Gott" und fragt die Mutter:)

[7]ignorance
[8]*aufwachsen lassen,* allow to grow up

"Ôwê muoter, waz is got?"
"sun, ich sage dir'z âne[9] spot[10], er ist noch
   liehter denne[11] der tac . . .
sun, merke[12] eine witze[13]
und flêhe[14] in umbe dîne not[15];
sîn triuwe der werlde ie[1] helfe bôt."

[9]ohne   [10]mockery
[11]*als,* than
[12]note   [13]wisdom
[14]implore   [15]in your need
[1]always

(Bald darauf sieht der Knabe drei Ritter in strahlender[2] Rüstung[3] vorbeireiten:)
der knappe wânde[4] sunder[5] spot
daz ieslîcher[6] wære ein got.
dô stuont ouch er niht langer hie,
in den phat[7] viel er ûf sîniu knie.
lûte rief der knappe sân[8],
"hilf got, du maht[9] wol helfe hân.[9a]"

[2]shining   [3]armor
[4]fancied   [5]without
[6]each
[7]path
[8]at once
[9]might   [9a]*haben*

Richard Wagner hat auch ein anderes höfisches Epos als Oper bearbeitet[10], den *"Tristan"* des Gottfried von Strassburg.

[10]*bearbeiten,* to adapt

Die ritterlichen Dichter haben nicht nur Epen geschrieben, sondern auch lyrische Gedichte. Diese mittelhochdeutsche Liebeslyrik nennt man

MINNESANG

"Minne" bedeutet Liebe, aber in einem mehr geistigen und mystischen Sinne als das französische Wort "l'amour" der Troubadours.

Das erste Liebesgedicht in deutscher Sprache finden wir allerdings viel früher. Es steht[11] in einem lateinischen Briefwechsel[12] zwischen einer Dame und ihrem Beichtvater[13].

[11]occurs
[12]correspondence

[13]father confessor

Du bist mîn, ich bin dîn.
des solt du gewizze sîn.
du bist beslozzen in mînem herzen.
verlorn ist das sluzzelîn,
nun muost du immer darinne sîn.

Der größte deutsche Minnesänger ist

Thou art mine, thine am I.
Of that thou may'st be
   sure for aye.
Thou art imprisoned in
   my heart.
Lost is the only key
And always thou must
   therein be.
(Transl. by John Adams, Kansas)

Walther von der Vogelweide

Wir wissen nicht sehr viel von seinem Leben.

Er war ein Österreicher von vornehmer[14] Geburt, aber so arm, daß er als "fahrender Sänger[15]" sein Brot verdienen mußte, bis er endlich von Friedrich II. ein kleines Lehen[1] bekam. Seine Dichtung ist z.T. reiner Minnesang, d.h. Liebeslyrik, z.T. "Spruchdichtung", d.h. politische Lyrik. Mit der letzteren[2] nahm er großen Einfluß[3] auf die verworrenen[4] politischen Zustände seiner Zeit, aber sie ist heute nur noch für den Historiker interessant. Wir müssen uns die Wirkung[5] von Walther's "Sprüchen" etwa so vorstellen wie die einer Rundfunkrede[6] heutigen Tages. Viele seiner Liebeslieder aber haben die deutsche Lyrik durch Jahrhunderte beeinflußt und sind auch heute noch lebendig[7].

Das bekannteste, sehr oft vertonte[8] Gedicht Walthers ist der "niederen Minne" gewidmet[9].

[14]noble
[15]minstrel
[1]estate in fee, fief

[2]the latter
[3]influence
[4]confused

[5]effect

[6]radio speech

[7]alive

[8]*vertonen*, to set to music

[9]*widmen*, dedicate, devote

Under der linden
an der heide[10],
dâ unser zweier bette was,
dâ muget[11] ir finden
schône[12] beide
gebrochen bluomen unde gras.
vor dem walde in einem tal[13]
tandaradei,
schône sanc diu nahtegal.

[10]heath

[11]might
[12]pretty

[13]valley

Ich kam gegangen
zuo der ouwe:[14]
dâ was mîn friedel komen ê.[15]
dâ wart ich empfangen[1],
hêre frouwe[2],
daz ich bin saelic[3] iemer mê[4].
kust er mich? wol tûsentstunt[5]:
tandaradei,
seht, wie rôt mir ist der munt.

[14]*Aue,* meadow

[15]before
[1]to welcome
[2]gracious lady
[3]happy
[4]ever after
[5]thousand times

Daz er bî mir laege,
wessez iemen[6], (nu enwelle got[7]!)
so schamt ich mich.
wes er mit mir pflaege[8],
niemer niemen[9]
bevinde[10] daz, wan[11] er und ich

[6]if anyone knew
[7]God forbid

[8]did
[9]never nobody
[10]find out
[11]except

14

und ein kleinez vogellîn:
tandaradei,
daz mac wol getriuwe[12] sîn.

[12]loyal

Der berühmteste Spruch Walthers lautet:
Ich saz ûf eime steine
und dahte[13] bein mit beine:
dar uf sazt[14] ich den ellenbogen.
ich hete[15] in mine hant gesmogen[1]
daz kinne und ein mîn wange.
dâ dâhte ich mir vil ange[2]
wie man zer werlte solte leben:
deheinen[3] rât kond ich gegeben,
wie man driu[4] dinc erwurbe[5],
der keines niht verdurbe[6].
diu zwei sint êre und varnde guot[7],
daz dicke[8] ein ander schaden tuot:
daz dritte ist gotes hulde[9],
der zweier uebergulde[10].
die wolte ich gerne in einen schrîn[11].
jâ leider des enmac[12] niht sîn,
daz guot und werltlich êre
und gotes hulde mêre
zesamene in ein herze komen.
steg[13] und wege sint in benomen[14],
untriuwe[15] ist in der saze[1],
gewalt vert[2] ûf der straze:
fride unde reht sint sêre wunt.
diu driu enhabent geleites[3] niht,
diu zwei enwerdent ê gesunt[4].

[13]decken, to cover
[14]setzen, to place
[15]hatte
[1]schmiegen, press close

[2]anxiously

[3]keinen
[4]drei
[5]erwerben, attain
[6]verderben, to be spoilt, injured
[7]fortune, wealth
[8]often
[9]grace
[10]surpassing
[11]chest
[12]can

[13]paths
[14]closed to them
[15]untruthfulness
[1]ambush
[2]fahren, to drive, travel

[3]safe-conduct
[4]unless the two recover

Die Blütezeit der deutschen Poesie im Mittelalter dauerte nur etwa dreißig Jahre, von 1180 bis 1210. Mit dem Verfall[5] des Rittertums begann auch die Degeneration der ritterlichen Dichtung. Was die Bürger, der neue Stand[6], an ihre Stelle setzten[7], der sogenannte "MEISTERSANG", kann nicht als Dichtung in unserem Sinne[8] bezeichnet werden. Diese braven[9] Bürger glaubten, daß man die Dichtkunst lernen könne und müsse wie ein Handwerk[10]. Sie stellten eine Menge von Gesetzen und Regeln auf, und technische Korrektheit war wichtiger als wahre[11] Empfindung[11] und poetischer Ausdruck[12].

[5]decline

[6]class
[7]put in one's place

[8]in our conception

[9]worthy

[10]handicraft, trade

[11]genuine sentiment
[12]expression

15

Die deutsche Literatur zeigt nicht einen
so ständigen[13] Fluß wie die französische,
italienische oder englische. In der englischen Literatur z.B.[14] ist Chaucer die Brücke
zwischen Mittelalter und Neuzeit. In
Deutschland sehen wir einen vollständigen[15]
Verfall[16] der mittelalterlichen Literatur im
14. und 15. Jahrhundert, und die Literatur
der Neuzeit mußte vom Grunde aus aufgebaut werden.

[13]continuous

[14]*zum Beispiel,* for
example

[15]complete

[16]decay

DAS 16. JAHRHUNDERT

Den neuen Impuls bekommt die deutsche Dichtung von zwei geistigen Bewegungen[1], dem HUMANISMUS und der REFORMATION. Eine Nebenrolle spielt der MYSTIZISMUS.

[1]intellectual movements; note: *geistig*, mental, intellectual; *geistlich*, religious, clerical

Das Verhältnis[2] ist ein wenig kompliziert. Die Literatur wird von allen drei Strömungen[3] direkt beeinflußt, die Reformation aber ist ein Kind der beiden anderen.

[2]relation

[3]*die Strömung*, stream, movement

Der MYSTIZISMUS tritt für eine Vertiefung des seelischen Lebens[4] ein[5]. Der Mensch hat die Kraft, sich unmittelbar Gott zu nähern[6]; dann sind die Seele und Gott eins, und nach dem Tode wird die Seele in Gott eingehen.[7]

[4]a deepening of the spiritual life

[5]*eintreten*, to advocate

[6]to approach God immediately

[7]be submerged into God

Der HUMANISMUS ist eine geistige Bewegung, die ein ideales Bildungssystem[8] sucht und es in der Wiedergeburt des klassischen Wissens[9] findet. Wir nennen die vom Humanismus beeinflußte Kunst: RENAISSANCE.

[8]system of culture

[9]revival of classical learning

Beide Ströme vereinigen[10] sich in MARTIN LUTHERS REFORMATION.

[10]unite

Luther

ist für die deutsche Literatur von ungeheurer[11] Bedeutung. Er verlangte, daß jeder Christ die Bibel selbst lesen müsse. Deshalb übersetzte er sie. Nun war aber die deutsche Sprache in zahlreiche Dialekte gespalten[12]. Die Einheitlichkeit[13], die wir in einem gewissen Grade[14] in der Blütezeit der mittelhochdeutschen Literatur beobachten können, war in den folgenden drei Jahrhunderten verloren gegangen. Luther bemühte sich[15], eine Sprache zu finden, die einer möglichst großen Zahl von Deutschen verständlich[1] sein sollte.

[11]enormous

[12]*spalten*, to split

[13]uniformity

[14]to a certain extent

[15]*sich bemühen*, to endeavor

[1]comprehensible

So kombinierte er die "Kurfürstlich Sächsische Kanzleisprache[2]" mit seiner heimischen Mundart[3], der Sprache des "gemeinen Mannes". Damit schuf er die "NEUHOCHDEUTSCHE SCHRIFTSPRACHE". Durch alle folgenden Jahrhunderte war das deutsche Volk politisch in zahlreiche kleine Staaten gespal-

[2]official language of the court of the elector of Saxony

[3]native idiom

17

ten, die sogar häufig im Kriege mit einander waren. Auch die gesprochene Sprache zeigte und zeigt noch heute große Verschiedenheiten. Ein ostpreußischer und ein österreichischer Bauer[4] können einander kaum verstehen. (Die Bestrebungen[5], zu einer gemeinsamen "Hochsprache"[6] zu kommen, sind erst neueren Datums). Das einzige Band[7] zwischen den verschiedenen Stämmen war Luthers Schriftsprache, die in allen Schulen gelehrt wurde. Ohne diese gemeinsame Schriftsprache wäre die Blüte der deutschen Literatur (um 1800) nicht möglich gewesen. Sie bewirkte[8] es, daß der Schlesier Lessing, der Ostpreuße Herder, der Franke Goethe und der Schwabe Schiller dieselbe Sprache *schrieben* wie der Österreicher Grillparzer.

Luthers BIBELÜBERSETZUNG ist eine literarische Großtat[9]. Er beschreibt selbst, wie er arbeitete: *"Ich hab' mich dessen beflissen[10], daß ich rein und klar deutsch geben mocht. Und ist uns wohl oft begegnet[11], daß wir 14 Tage, drei, vier Wochen haben ein einziges Wort gesucht . . ."* So hat er ein Volksbuch[12] geschaffen, das jedem Deutschen am Herzen liegt[13]. Zahlreiche Ausdrücke sind in den Wortschatz[14] des täglichen Lebens übergegangen[15]. Spätere Gelehrte haben ihm manche philologische Irrtümer nachgewiesen, aber an dichterischer Schönheit und natürlicher Einfachheit ist das Werk nicht zu überbieten[1].

Man vergleiche z.B. ein paar Zeilen aus dem 73. Psalm mit irgendeiner andern Übersetzung:

"Wenn ich nur Dich, Gott, habe, so frage ich nichts nach Himmel und Erde. Wenn mir gleich Leib und Seele verschmachtet, so bist Du doch, Gott, allezeit meines Herzens Trost und mein Teil."

Von der gleichen Bedeutung sind Luthers "Geistliche Lieder[2]", die Grundlage des protestantischen Gesangbuches. Das berühm-

[4]farmer, peasant
[5]effort
[6]standard language

[7]tie, bond

[8]*bewirken,* to bring about

[9]great achievement

[10]*sich befleißen,* to try hard
[11]*es begegnet mir,* it happens to me

[12]*hier:* work of nationwide circulation
[13]to be very close to the heart
[14]vocabulary
[15]*über-gehen,* pass over

[1]cannot be surpassed

"On earth I care for nothing else. Body and soul may fail (*Luther:* parch, pine away), but God my strength is mine for evermore." (New Translation by J. Moffatt.)

[2]religious songs, hymns

18

teste ist das Trutzlied[3] der protestantischen Kirche:

Ein' feste Burg ist unser Gott,
Ein' gute Wehr und Waffen;
Er hilft uns frei aus aller Not,
Die uns jetzt hat betroffen.
Der alt' böse Feind,
Mit Ernst er's jetzt meint;
Gross' Macht und viel List
Sein' grausam' Rüstung ist,
Auf Erd'n ist nicht sein's Gleichen.

[3]defiant song
A mighty fortress is our God,
A trusty shield and weapon,
He helps us in our ev'ry need
That has us now o'er-taken.
The old malignant foe
E'er means us deadly woe;
Deep guile and cruel might
Are his dread arms in fight,
On earth is not his equal.

Die Sprache Luthers fand um so größere Verbreitung[4], als auch seine Gegner sie gebrauchten. Er sagt darüber: "*Sie stehlen mir meine Sprache, davon sie zuvor wenig gewußt; danken mir aber nicht dafür, sondern brauchen sie viel lieber wider[5] mich.*"

[4]circulation

[5]note: *wieder*, again *wider*, against

Luther ist der einzige unter den Reformatoren, der auch als Dichter und Schriftsteller[6] Bedeutung hat. Trotzdem war der Einfluß der Reformation auf die deutsche Literatur, direkt und indirekt, sehr groß.

[6]writer

Direkt hat der Kampf des Protestantismus gegen den Katholizismus eine Flut von POLEMISCHEN SCHRIFTEN[7] und SATIREN hervorgebracht[8].

[7]polemic treatises
[8]*hervorbringen*, to bring about

Der bedeutendste Streiter[9] auf der protestantischen Seite ist **Ulrich von Hutten,** Held und Sänger zugleich. Er wußte die Feder zu gebrauchen wie das Schwert und war einer der wenigen Humanisten, die deutsch ebenso gut schreiben konnten wie lateinisch. Wir zitieren[10] noch heute sehnsüchtig[11] aus seiner Lobrede[12] auf das "Erwachen der Geister": *Wissenschaft und Künste blühen, es ist eine Lust[13] zu leben!*

[9]champion

[10]to quote
[11]nostalgic
[12]eulogy

[13]delight

Auf katholischer Seite ragte **Thomas Murner** *hervor*[14]. Eine Probe aus seinem "*Großen Lutherischen Narren*"[15]:

[14]*hervorragen*, to stand out
[15]*der Narr*, fool

"*Wie der Luther geschrieben hat,*
Zu Babylonien in der Stadt[1]
Seien wir alle gefangen gewesen,
Bis wir durch Luthern seien genesen,

[1]*Eine Anspielung (allusion) auf Luthers Schrift: "Von der babylonischen Gefangenschaft der Kirche".*

Der uns erlöst hat aus den Banden
Und Freiheit geben zu den Handen.
Gott dank dem frommen, ehrbarn[2] Mann[2], [2]honorable gentleman
Daß wir jetzund[3] in Freiheit stan[4]. [3]now
[4]*stehen,* to be
Und dürfen weder beichten[5], beten, [5]to confess
Dergleich nicht mehr zur Kirche treten,
Tapfer feiern[6], wenig fasten, [6]to celebrate
Am Morgen in dem Bettlein rasten,
Kein Messen hören noch früh aufstehn . . ."

Eine Generation später lebt der origi-
nellste und sprachgewaltigste[7] Satiriker des [7]endowed with a great
16. Jahrhunderts, der Lutheraner command of language

Johann Fischart

Leider macht ihn gerade seine Sprachmei-
sterung, die Überschwenglichkeit[8] seines [8]exuberance
Stils schwer lesbar. Viele seiner Wortwitze[9] [9]pun
sind heute nicht mehr ohne weiteres[10] ver- [10]offhand
ständlich.

Die Reformatoren erkannten den Wert des
DRAMAS für die Verbreitung[11] der neuen [11]spread
Lehre, und sie veranlaßten[12] die Dramatiker, [12]to induce
Stücke im protestantischen Geiste zu schrei-
ben. Das Drama hatte um diese Zeit—wie
wir noch später sehen werden—drei von
einander unabhängige[13] Zweige[1]: [13]independent
[1]branch
1. das religiöse Drama,
2. das Fastnachtsspiel[2], [2]Shrovetide play, farce
3. das lateinische Schuldrama.
Alle drei wurden in den Dienst der Sache
gestellt.
Der repräsentative Dramatiker des 16.
Jahrhunderts, zugleich ein Symbol für die
Kultur des Kleinbürgers[3] um diese Zeit, ist [3]petty burgher
der Meistersinger

Hans Sachs

Die überheblichen[4] Gelehrten[5] des 17. [4]high-brow
Jahrhunderts haben seine Reimkunst in dem [5]scholar
Vers verspottet:

Hans Sachs war ein Schuh- *Hans Sachs was a shoe-*
Macher und Poet dazu. *Maker and a poet, too.*

Aber *Goethe* hat ihn in einem wundervollen
Gedicht verherrlicht[6]. Und *Richard Wag-* [6]to glorify

20

ner hat ihm in seiner Oper "Die Meistersinger von Nürnberg" ein Denkmal gesetzt.

Schon[7] der enorme Fleiß dieses braven[8] und liebenswürdigen[9] Handwerkers[10] ist zu bewundern. Er hat bei 6000 Gedichte und mehr als 200 Dramen hinterlassen[11]. Selbst wenn wir sein langes Leben in Betracht ziehen[12], muß er mehrere hundert Verse täglich geschrieben haben.

Er war ein treuer Anhänger[13] Luthers, den er als *"die Wittembergisch Nachtigall, die man jetzt höret überall"*, begrüßt:

Wach auf, es nahet sich der Tag.
Ich hör' singen im grünen Hag[14]
Ein' wunnigliche[15] Nachtigall,
Ihr' Stimm durchklinget Berg und Tal.
Nun daß ihr klarer möcht verstan[1],
Wer die lieblich' Nachtigall sei,
Die uns den hellen Tag ausschrei[2],
Ist Doctor Martin Luther,
Zu Wittenberg Augustiner,
Der uns aufwecket von der Nacht,
Darein der Mondschein uns hat bracht.

Die meisten Werke von Hans Sachs sind heute vergessen. Nur einige seiner FASTNACHTSSPIELE, lustige Einakter, werden noch gelegentlich[3] aufgeführt[4]. Trotzdem Hans Sachs keine Ahnung[5] von den Gesetzen des dramatischen Aufbaus[6] hatte, erfreuen uns diese Stücke durch die interessante Handlung[7] und den witzigen[8] Dialog. *"Der fahrende Schüler"* z. B. erzählt, wie ein wandernder Student eine einfältige[9] Bauernfrau betrügt. Er sagt, daß er auf einer Reise nach Paris begriffen sei[10]; sie versteht "Paradies", und er läßt[11] sie dabei[11]; sie gibt ihm Geld und Kleider für ihren verstorbenen[12] Mann mit. Dem Bauer listet[13] er noch ein Pferd ab[13].

Mit welcher Naivität und Einfachheit Hans Sachs an die größten Probleme herangeht[14], möge eine Probe aus der Komödie *"Die ungleichen[15] Kinder Evae"* zeigen.

Nach der Vertreibung[1] aus dem Paradies

[7]alone
[8]honest
[9]lovable
[10]artisan

[11]to leave behind

[12]to take into consideration

[13]supporter

[14]hedge
[15]delightful

[1]verstehen

[2]to announce

[3]occasionally
[4]to produce, stage
[5]idea
[6]laws of dramatic construction
[7]story, plot
[8]witty

[9]simple-minded

[10]to be on a journey

[11]he leaves it at this

[12]late

[13]to trick

[14]to approach

[15]unequal

[1]banishment

21

verdienen Adam und Eva als ehrbare Land-
leute² ihr Brot. Eines Tages läßt der Herr
durch einen Engel sagen³, daß er sie besu-
chen werde, um zu sehen, wie es ihnen geht⁴.

²*der Landmann,* peasant
³*sagen lassen,* to send word
⁴how they are getting along

ACTUS III.

ADAM *spricht:*

Eva, ist das Haus geziert⁵,
Auf daß, wenn der Herr kommen wird,
Daß es als schön und lüstig⁶ steh
Wie ich dir hab' befohlen Ee⁷.

⁵*zieren,* to adorn
⁶pleasant (*veraltet, obsolete*)
⁷*lateinische Anredeform:* O Eva!

EVA *spricht:*

Alle Ding war schon zubereit
Zu nächten⁸ um die Vesperzeit.

⁸last night

ADAM:

Ihr Kinderlein, ich seh' den Herrn
Mit seinen Engeln kommen von fern.
Nun stellt euch in die Ordnung fein,
Und bald⁹ der Herre tritt herein,
Neigt euch¹⁰ und bietet ihm die Händ . . .

⁹*sobald,* as soon as
¹⁰*sich verneigen,* to bow

DER HERR:

(Der HERR *tritt ein mit zwei Engeln, gibt den Segen¹¹ und spricht):*
Der Fried' sei euch, ihr Kinderlein.

¹¹blessing

ADAM:

ADAM (hebt seine Hände auf und spricht):
O himmlischer Vater mein,
Wir danken in unserm Gemüt¹²,
Daß du uns Sünder durch deine Güt'
Heimsuchst¹³ in unsrer Angst und Not.

¹²heart

¹³to visit

EVA:

EVA (hebt ihre Hände auf und spricht):
Ach du treuer Vater und Gott,
Wie sollen wir's verdienen¹⁴ um dich,
Daß du kommst so demütiglich¹⁵
Zu uns Elenden¹ an diesen Ort,
Dieweil² ich hab' verachtet³ dein Wort
Und gefolgt der höllischen Schlangen,
Da ich die größte Sünd' hab' begangen
Wider dich; darum wird mein Gewissen
bekümmert, geängstigt und gebissen⁴.

¹⁴deserve
¹⁵*hier nicht* "humbly", *sondern* "graciously"
¹miserable
²though
³*mißachten,* disregard

⁴grieved, frightened, stricken

DER HERR:

Meine Tochter, sei zu frieden⁵ eben,
Deine Sünden seien dir vergeben,
Denn ich bin barmherzig⁶, treu und gar
*   langmütig⁷,*

⁵at peace

⁶merciful

⁷patient

22

Ein Vater der trostlosen[8] Armen,
Ich werd' mich über euch erbarmen[9].
ADAM:

O himmlischer Vater mein,
Des sei dir Lob, Preis, Dank und Ehr'
Jetzund, ewig und immer mehr.
Nun ihr Kinder euch hierher macht[10],
Mit Reverenz den Herrn empfacht[11].

[8]disconsolate

[9]*sich erbarmen,* to show mercy

[10]*mach!,* come quickly!

[11]*empfangen,* to welcome

DIE LYRIK

des 16. Jhdts. hat drei verschiedene Zweige:

1. *Der Meistersang.* Er wird von Handwerkern in den Städten nach feststehenden[12] Regeln gepflegt. Heute hat er nur mehr kulturgeschichtliches[13] Interesse. Es ist erhebend[14] zu sehen, wie diese braven[15] Leute an Sonntagen zusammenkommen, nicht um zu trinken oder zu spielen, sondern um sich an dem zu erfreuen, was sie für Kunst halten. *"Verachtet[1] mir die Meister[2] nicht und ehrt mir ihre Kunst,"* sagt Richard Wagner.

[12]well established

[13]*Kulturgeschichte,* history of civilization
[14]edifying
[15]good

[1]to despise
[2]*Meister,* the highest of the three degrees of artisans

2. *Das Kirchenlied.* Luther hat den deutschen Chorgesang in den Gottesdienst[3] eingeführt[4]. Die Lieder aber mußten erst geschaffen werden. Mit seiner großen dichterischen Begabung begann er selbst, Kirchenlieder zu verfassen, und manche von ihnen gehören[5] zu den schönsten, die wir besitzen. Anhänger und Gegner folgten seinem Beispiele. Diese Lieder sind nur zum Teil Originale, zum großen Teil sind es Umdichtungen[6] lateinischer und älterer deutscher Lieder. Viele haben sich in den protestantischen Gesangbüchern aller Bekenntnisse[7] und aller Sprachen bis heute erhalten. Gustav Adolfs Lieblingslied, das er jeden Morgen sang, stammt aus dieser Zeit:

[3]service
[4]*einführen,* to introduce

[5]belong to, are among

[6]adaptation

[7]confession, denomination

> *Aus meines Herzens Grunde*
> *Sag' ich dir Lob und Dank*
> *In dieser Morgenstunde,*
> *Darzu mein Lebenlang . . .*

Den Höhepunkt erreicht die geistliche Lyrik im 17. Jahrhundert.

3. *Das Volkslied*[8].

Wir verstehen darunter Lieder, die sich meist mündlich fortpflanzen[9] und im Volke allgemein verbreitet sind. Die Verfasser sind teils professionelle Dichter, teils Dilettanten. Sie sind teils bekannt, teils unbekannt. Aber immer ist eine Person der Dichter. Keinesfalls[10] kann das Volk in seiner Gesamtheit[11] oder auch nur in einem kleinen Kreise dichten. Diese Anschauung[12] der Romantiker, die man noch heute finden kann, ist natürlich absurd. Kein Lied ist ein Volkslied, wenn es entsteht. Es ist höchstens ein volkstümliches[13] Lied und kann ein Volkslied werden, wenn es die nötigen Eigenschaften dazu hat. Es muß die Gefühle — Freuden und Schmerzen — der Massen in einfacher, stark rhythmischer Sprache und in plastischen[14], dem Leben entnommenen Bildern[15] ausdrücken. Dazu kommt eine angenehme, leicht ins Ohr gehende[1] Melodie. Wie behandelt das Volkslied z.B. die klassische Sage von *Hero und Leander*:

Es waren zwei Königskinder,
Die hatten einander so lieb.
Sie konnten zusammen nicht kommen,
Das Wasser war viel zu tief . . .

So beginnt das Lied. Ebenso naiv und doch tief ergreifend[2] ist der Schluß:

Sie nahm in ihre Arme
Den Königssohn, o weh!
Sie sprang mit ihm in die Wellen:
"O Vater und Mutter, ade!"

Im 16. Jahrhundert entstanden viele solcher Volkslieder, die noch heute häufig[3] gesungen werden, z. B. das bekannte Tiroler Lied:

Innsbruck, ich muß dich lassen,
Ich fahr' dahin mein' Straßen,
Ins fremde Land dahin . . .

Es wurde später in ein Kirchenlied umgedichtet:

[8] folk song
[9] to be transmitted
[10] by no means
[11] collectively
[12] view
[13] popular
[14] graphic
[15] picture
[1] catchy
[2] deeply moving
[3] often

24

O Welt, ich muß dich lassen,
Ich fahr' dahin mein' Straßen,
Ins ewige Vaterland . . .

Zur Gattung der Trinklieder gehört:

Den liebsten Buhlen[4], den ich han[5],
Der liegt beim Wirt im Keller,
Er hat ein hölzernes Röcklein an
Und heißt der Muskateller . . .

[4]sweetheart
[5]*habe*

Die Lyrik im 16. Jhdt. wurde fast ausschließlich gesungen. Gesprochene lyrische Gedichte, später der Stolz der deutschen Literatur, gibt es noch kaum.

Eine neue und wichtige Art von Literatur entsteht im 16. Jhdt., das

VOLKSBUCH

Das ist ein primitiver *Roman[6]*, der in kunstloser und populärer Form eine erstaunliche[7] und spannende[8] Geschichte erzählt. Da immer mehr Leute lesen lernten und diese Bücher sehr billig waren und auf allen Märkten verkauft wurden, fanden sie weite Verbreitung. Trotz ihrer Kunstlosigkeit sind manche dieser Erzählungen von Bedeutung für die Entwicklung der Literatur, denn sie enthalten Stoffe, die später von großen Dichtern zu Kunstwerken gestaltet wurden. Da ist unter anderen das Volksbuch von *Dr. Faust*, dem Gelehrten und Schwarzkünstler[9], der sich dem Teufel verschreibt[10] und schließlich von ihm geholt[11] wird.

[6]novel

[7]amazing
[8]thrilling

[9]necromancer
[10]sell oneself to the devil
[11]*holen,* to take

Shakespeares Zeitgenosse, Christopher Marlowe, hat den Stoff in einem Drama behandelt und *Goethe* hat 200 Jahre später daraus eines der größten, wenn nicht das größte Werk der Weltliteratur gemacht.

Till Eulenspiegel ist eine Sammlung[12] von Schwänken[13], lustigen Abenteuern und Streichen[14], die noch heute lebendig sind.

[12]collection

[13]farce
[14]*der Streich,* practical joke, prank

Die Schildbürger haben *Wieland* zu seinem satirischen Roman "Die Abderiten" angeregt[15]. Mit köstlichem[1] Humor werden die Torheiten[2], die diese Kleinstädter[3] begehen,

[15]*anregen,* to inspire
[1]capital
[2]*Torheit,* folly
[3]small-town people

25

verspottet⁴. Der Name ist sprichwörtlich⁵ geworden.

Die Gestalt des *Ahasverus*, des wandernden Juden, hat viele Dichter angezogen⁶.

Zusammenfassend⁷ können wir sagen: Die hervorragendste literarische Persönlichkeit⁸ des 16. Jhdts. ist *Martin Luther*. Er hat den Deutschen eine gemeinsame Literatursprache geschenkt. Seine Bibelübersetzung, seine Hymnen und manche seiner "Tischreden"⁹ gehören zu den großen, unsterblichen¹⁰ Werken der deutschen Dichtkunst. — Der durch die Reformation bedingte¹¹ religiöse Streit hat zahlreiche polemische und satirische Schriften hervorgebracht. Weitere¹² literarische Gattungen sind: die Fastnachtsspiele, der Meistersang, das Volkslied und das Volksbuch.

Der künstlerische und ästhetische Wert der Werke des 16. Jhdts. ist—von Luthers Schriften abgesehen¹³—im allgemeinen nicht bedeutend, und wenige Werke dieser Periode werden noch heute gelesen. Die Form ist meist roh¹⁴ und kunstlos. Viel mehr Gewicht wird auf den Inhalt gelegt¹⁵. Dadurch ist die Literatur des 16 Jhdts. ein *Reservoir an Stoffen*, die von späteren Dichtern benützt werden.

⁴to deride
⁵proverbial

⁶*anziehen,* to attract

⁷to sum up

⁸personality

⁹Table Talks
¹⁰immortal

¹¹*bedingen,* to cause

²other

¹³except

¹⁴crude

¹⁵*Gewicht legen,* to emphasize

DAS SIEBZEHNTE JAHRHUNDERT
und die
VORKLASSISCHE ZEIT

Das 17. Jahrhundert ist eine trübe[1] Zeit in der Geschichte Deutschlands. Auch die Literatur hielt[1a] nicht[1a], was das beginnende 16. Jahrhundert versprochen hatte. Am Anfang dieser Periode—um das Jahr 1600—haben die englische und die spanische Literatur ihre Blüte. Shakespeare und das elisabethinische Drama, Cervantes, Calderon und Lope de Vega sind aus der Kulturgeschichte der Menschheit nicht[2] wegzudenken[2]. Am Ende des 17. Jahrhunderts steht das klassische Drama der Franzosen (Corneille, Racine, Molière). Deutschland hat in den 150 Jahren von 1600 bis 1750 sehr wenige Werke von ästhetischer oder literarhistorischer Bedeutung hervorgebracht, d.h. Werke, die heute noch lesenswert sind, oder die die Entwicklung der Literatur beeinflußt haben.

Für diese traurige Tatsache[3] gibt es mehrere Ursachen. Die wichtigste ist, daß der dreißigjährige Krieg (1618-1648) Deutschland verheerte[4]. Als er endete, war das Land eine Wüste[5]. Fast zwei Drittel[6] der Bevölkerung[7] waren zugrunde gegangen[8]. Das Elend[9] der Überlebenden[10] ist kaum vorstellbar[11]. Da blieb nicht viel übrig für geistige Bestrebungen[12].

Kulturelles Leben finden wir nur bei einem neuen Stand[14], der aus der humanistischen Bewegung hervorgegangen war, nämlich den *Gelehrten*.

Die Gelehrten hatten sich auch der Literatur bemächtigt[15]. Aber sie hatten dem Volke, das sie verachteten, nichts zu sagen, und andrerseits[1] fanden sie selbst keine Anregung[2] im Leben der Nation. Sie richteten daher ihre Blicke nach dem Ausland[3]. Das klassische Altertum ist noch immer das

[1] dark
[1a] did not come up to
[2] conceive of . . . without
[3] deplorable fact
[4] *verheeren,* to devastate
[5] desert
[6] two thirds
[7] population
[8] to perish
[9] misery
[10] survivor
[11] imaginable
[12] effort
[14] *Geistliche—Ritter—Bürger—Gelehrte—sind die Stände, die im Laufe der Jahrhunderte nacheinander* (successively) *die Kultur der Nation verkörpern* (represent).
[15] *sich bemächtigen,* to take possession of
[1] on the other hand
[2] stimulus
[3] *das Ausland,* foreign countries, abroad *nach dem Ausland,* abroad

Ideal. Die Franzosen, so glaubt man, haben es am besten erfaßt[4] und der neuen Zeit angepaßt[5]. So beginnt eine blinde *Nachahmung der Franzosen.* Die deutsche Sprache ist mit französischen Fremdwörtern durchsetzt[6], die Gesetze der französischen Metrik werden fälschlich auf die deutsche Verskunst[7] angewendet. **Friedrich von Logau,** eine der wenigen erfreulichen[8] Erscheinungen[9] der Zeit, schreibt in seinen "Sinngedichten[10]":

[4]*erfassen,* to comprehend
[5]*anpassen,* to adapt

[6]*durchsetzen,* intersperse
durchsetzen, to carry through
[7]versification
[8]delightful, pleasant
[9]personality
[10]epigram

Daß aus Menschen werden Wölfe,
bringt zu glauben nicht Beschwerden[11];
Sieht man nicht, daß aus den Deutschen
dieser Zeit Franzosen werden?

[11]is not difficult to believe

Die "Sprachgesellschaften", die zum Schutze[12] der Sprache gegründet werden, sind nicht sehr erfolgreich, weil sie sich in gelehrten Spielereien[13] und manchmal in Absurditäten ergehen[14], und weil ihre Bestrebungen nicht aus dem Herzen kommen. Wieder trifft Friedrich von Logau den Nagel auf den Kopf:

[12]*der Schutz,* protection

[13]*die Spielerei,* trifling
[14]*sich ergehen in,* to indulge in

Deutsche mühen sich jetzt sehr,
deutsch zu reden, fein und rein.
Wer von Herzen redet deutsch,
wird der beste Deutsche sein.

Die Gelehrtenpoesie ist zum großen Teil "*Gelegenheitsdichtung*"[15]. Es war in den vornehmen Kreisen Mode[1], sich bei besonderen Anlässen, wie Geburtstag, Vermählung[2], Taufe, in einem Gedicht feiern zu lassen. Wie man beim Bäcker den Geburtstagskuchen[3] bestellte[4], so bestellte man ein Gedicht, mit oder ohne Musik, bei einem professionellen Dichter. Manche Fürsten hatten sogar ihre ständigen[5] Hofpoeten[6], die ein hohes Gehalt[7] bezogen. Das ist nun natürlich ganz unkünstlerisch und geschmacklos[8].

[15]*die Gelegenheit,* occasion
[1]*die Mode,* fashion
[2]wedding

[3]birthday cake
[4]to order

[5]permanent
[6]court poet
[7]salary

[8]in poor taste
Seltsamerweise[9] kam sogar auf diesem Wege hie und da[10] ein wirkliches Kunstwerk zustande, z. B. das zum Volkslied gewordene

[9]strangely enough
[10]now and then

Ännchen von Tharau

das der Schulmeister **Simon Dach** auf Bestellung[11] für einen Bräutigam dichtete[11]:

[11]to compose to order

Ännchen von Tharau ist, die mir gefällt,
Sie ist mein Leben, mein Gut und mein Geld.
Ännchen von Tharau hat wieder ihr Herz´
Auf mich gerichtet in Lieb' und in Schmerz.
Ännchen von Tharau, mein Reichtum, mein
*   Gut,*
Du meine Seele, mein Fleisch und mein Blut.
Käm' alles Wetter gleich auf uns zu schlahn[12],
Wir sind gesinnt[13], bei einander zu stahn.
Krankheit, Verfolgung[14], Betrübnis und Pein
Soll unsrer Liebe Verknotigung[15] sein.
Ännchen von Tharau, mein Licht und mein'
*   Sonn',*
Mein Leben schließ' ich um deines herum[1].

[12]*schlagen,* to beat down
[13]we are resolved
[14]persecution
[15]knotting

[1]I wrap my life around
yours

Auch dem weit gereisten[2] **Paul Fleming** gelingt[3] manchmal ein empfundenes[4] und persönliches Gedicht, wie das in die Gesangsbücher übergegangene:

[2]much traveled
[3]*es gelingt mir,* I succeed
here, succeeds in producing
[4]heartfelt

In allen meinen Taten
Lass' ich den Höchsten raten,
Der alles kann und hat;
Er muß zu allen Dingen,
Soll's anders[5] wohl gelingen,
Selbst darzu geben Rat und Tat.

[5]if otherwise

Die *geistliche Lyrik* ist überhaupt[6] die am höchsten entwickelte Dichtungsgattung im 17. Jahrhundert, und wir finden in den Kirchengesangsbüchern manche Hymne, die aus dieser Zeit stammt.

[6]altogether

Unter den *Prosawerken* ist der

ABENTEUERROMAN

der beliebteste. Die Handlung spielt[7] meist in fernen Ländern. Nur **Grimmelshausen** schildert in seinem *"Abenteuerlichen Simplicissimus"* das Leben in Deutschland während des dreißigjährigen Krieges; der Roman ist daher eine wertvolle Quelle der kultur-

[7]is laid

geschichtlichen Forschung[8].—Am Beginne des. 18. Jahrhunderts hatte *Defoe's "Robinson Crusoe"*, der sofort ins Deutsche übersetzt wurde, eine Flut von *"Robinsonaden"* zur Folge.

Im allgemeinen ist die Gelehrtendichtung durch ihre Unnatürlichkeit und Geziertheit[9] kaum mehr verständlich. Die Dichter können sich nicht genug tun[10] an Gelehrsamkeit und weitergeholten[11] Bildern; die griechische Mythologie wird bis zum Überdruß[12] verwendet. Wie die Gebäude und die Tracht[13] des Barockzeitalters durch Prunk und Pracht[14] charakterisiert sind, so ist auch die Sprache der Zeit schwülstig[15] und geschraubt[1].

Kein Wunder, daß das Publikum, soweit es noch literarisch interessiert war, lieber die Franzosen im Original las als ihre übertreibenden[2] Nachahmer.

Wie ein einsamer Fels[3] ragt aus dieser Wüste ein Dichter hervor[4], der am Ende des 17. Jahrhunderts geboren wurde, **Christian Günther.** Er ist der erste moderne Lyriker der deutschen Literatur. Wirkliches Erleben[5] liegt seinen Gedichten zugrunde. Er drückt nur aus, was er selbst erfahren und erlitten hat. Leider[6] hat er sein Leben durch unmäßiges Trinken verwüstet[7]. Er starb im Alter von 28 Jahren. Goethe sagte von ihm: *"Er wußte sich nicht zu zähmen[8], und so zerrann[9] ihm sein Leben wie sein Dichten."*

> Brüder, laßt uns lustig sein,
> Weil der Frühling währet
> Und der Jugend Sonnenschein
> Unser Laub verkläret[10];
> Grab und Bahre[11] warten nicht;
> Wer die Rosen jetzo bricht,
> Dem ist der Kranz bescheret[12].

Diese heitere Note[13] ist allerdings sehr selten in seinen Gedichten zu finden. Die meisten drücken seine Leiden, seine Reue[14] und Verzweiflung[15] aus:

30

[8]research

[9]affectation

[10]cannot do enough
[11]far-fetched
[12]ad nauseam

[13]dress
[14]pomp and splendor
[15]inflated
[1]stilted

[2]*übertreíben,* to exaggerate
[3]rock
[4]*hervorragen,* to stand out, excel

[5]deeply realized experience
[6]unfortunately
[7]*verwüsten,* to ruin
[8]to control oneself
[9]*zerrinnen,* to melt away

[10]*verklären,* to transfigure make radiant
[11]*die Bahre,* bier

[12]*bescheren,* to give

[13]note

[14]repentance
[15]despair

Ich habe genug!
Lust, Flammen und Küsse
Sind giftig und süße
Und machen nicht klug;
Komm, selige Freiheit, und dämpfe[1] den
	Brand,
Der meinem Gemüte die Weisheit entwandt[2].
Was hab' ich getan!
Jetzt seh' ich die Triebe[3]
Der törichten Liebe
Vernünftiger[4] an;
Ich breche die Fessel, ich löse mein Herz
Und hasse mit Vorsatz[5] den zärtlichen
	Schmerz.
Geh, Schönheit, und fleuch[6]!
Die artigsten[7] Blicke
Sind schmerzliche Stricke[7a].
Ich merke den Streich[8],
Es lodern[9] die Briefe, der Ring bricht entzwei
Und zeigt meiner Schönen: nun leb' ich recht
	frei.
Nun leb' ich recht frei
Und schwöre von Herzen,
Daß Küssen und Scherzen
Ein Narrenspiel sei;
Denn wer sich verliebet, der ist wohl nicht
	klug;
Geh, falsche Sirene, ich habe genug!

[1]dampen

[2]entwenden, to rob of

[3]der Trieb, impulse, passion, instinct

[4]vernünftig, sensible, wise

[5]on purpose

[6]fleuch, poet. flieh

[7]artig, nice

[7a]bonds

[8]trick

[9]to blaze

Christian Günther blieb ohne unmittelbare[10] Nachfolge. Erst 50 Jahre später knüpft der junge Goethe an ihn an[11] und schenkt uns Lieder, die aus dem Herzen kommen.

Wie in den bildenden Künsten[12] der Barockstil in den spielerischen, tändelnden[13] Rokokostil übergeht, so entwickelt sich die Barocklyrik des 17. Jahrhunderts am Anfang des 18. Jahrhunderts zur Rokokolyrik. Man nennt sie ANAKREONTIK nach dem griechischen Dichter Anakreon. Wein und Liebe sind die Hauptthemen dieser Wassertrinker und Asketen. Der ehrsame und hochangesehene **Gleim** kann es über sich bringen[14], mitten im Kriege zu dichten:

[10]immediate

[11]anknüpfen an, take up where .. left off

[12]fine arts

[13]trifling, dallying

[14]to prevail upon himself

31

Wein und Liebe
Bändigt[15] Helden;
Wein und Liebe
Macht Verträge[1];
Wein und Liebe
Stiftet Frieden[2].
Drum, o Deutschland,
Willst du Frieden?
Wein und Liebe
Kann ihn stiften.

[15]*bändigen*, to master

[1]*der Vertrag*, treaty

[2]to make peace

Die Dichtkunst ist für die Anakreontiker, die alle in respektablen Berufen leben, eine angenehme Erholung[3] und Zerstreuung[4] in Mußestunden[5]. Einer der beliebtesten Poeten der Zeit, der auch heute noch nicht ganz vergessene **Friedrich Hagedorn**, drückt das so aus[6]:

[3]recreation [4]distraction

[5]leisure hours

[6]*ausdrücken*, to express

An die Dichtkunst

Gespielin[7] meiner Nebenstunden[8],
Bei der ein Teil der Zeit verschwunden[9],
Die mir, nicht andern zugehört;
O Dichtkunst, die das Leben lindert[10],
Wie manchen Gram[11] hast du vermindert[12],
Wie manche Fröhlichkeit[13] vermehrt.

[7]playmate
[8]extra or idle hours
[9]*verschwinden*, disappear, pass away

[10]to soothe
[11]grief, sorrow
[12]to diminish
[13]joy, gaiety

Zu eitel[14] ist das Lob der Freunde;
Uns drohen in der Nachwelt[15] Feinde,
Die finden unsre Größe klein.
Den jetzt an Liedern reichen Zeiten
Empfehl'[1] ich diese Kleinigkeiten;
Sie wollen nicht unsterblich sein.

[14]vain

[15]posterity

[1]to recommend

Die deutschen Kinder lernen noch immer Hagedorns nettes[2] Gedicht

[2]*nett*, nice

Johann, der Seifensieder[3]

auswendig.

[3]soap-boiler

Johann, der muntre[4] Seifensieder,
Erlernte viele schöne Lieder
Und sang, mit unbesorgtem[5] Sinn[6],
Von Morgen bis zum Abend hin.
Sein Tagwerk konnt' ihm Nahrung bringen,
Und wenn er aß, so mußt' er singen,
Und wann er sang, so war's mit Lust,
Aus vollem Hals und freier Brust.

[4]merry

[5]unconcerned [6]mood

32

Beim Morgenbrot, beim Abendessen,
Blieb Ton und Triller unvergessen;
Der schallte recht, und seine Kraft
Durchdrang[7] die halbe Nachbarschaft.
Man horcht, man fragt: Wer singt schon wieder?
Wer ist's? Der muntre Seifensieder.

[7]durchdringen, to permeate

(In der Nachbarschaft wohnt ein reicher
Müßiggänger[8], der in seinem Morgenschlaf
durch den Gesang gestört wird. Er läßt[9]
Johann kommen[9] und bietet ihm 50 Taler,
wenn er das Singen aufgibt. Johann, der nie
so eine Summe besessen hat, kann der Ver-
lockung[10] nicht widerstehen. Aber das Geld
macht ihn nicht glücklich. Er lebt in stän-
diger Angst, es könnte ihm gestohlen
werden.)

[8]idler
[9]kommen lassen, to send for

[10]temptation

Er lernt zuletzt, je mehr er spart[11],
Wie oft sich Sorg' und Reichtum paart[12].

[11]sparen, to save

[12]sich paaren, to join each other

(Bald geht er zu dem Nachbar und gibt
ihm den Beutel zurück.)

Und spricht: „Herr, lehrt mich bessere Sachen
Als, statt des Singens, Geld bewachen.
Nehmt immer Euren Beutel hin
Und laßt mir meinen frohen Sinn.
Fahrt fort[13], mich heimlich zu beneiden[14];
Ich tausche[15] nicht mit Euren Freuden.
Der Himmel hat mich recht geliebt,
Der mir die Stimme wiedergibt.
Was ich gewesen, werd' ich wieder:
Johann, der muntre Seifensieder.

[13]to continue [14]envy
[15]to change

Der berühmteste und meistgelesene Dichter der vorklassischen Zeit war der Leipziger Professor

Christian Fürchtegott Gellert

Insbesondere seine FABELN UND ERZÄH-
LUNGEN[1] waren ungeheuer beliebt. Viele haben sich in den deutschen Schullesebüchern[2]
erhalten. Ähnlich wie der Franzose *Lafon-
taine* gibt Gellert eine—meist selbst erfun-
dene—Erzählung in flüssigen Versen und
fügt am Schlusse die Moral hinzu[3]. Die
Schwächen der Menschen werden in milder,
liebenswürdiger Form verspottet, und die

[1]Fables and Tales
[2]reader

[3]hinzufügen, to add

33

Nutzanwendung⁴ ist für jeden leicht ersichtlich.

⁴practical application

Das Land der Hinkenden⁵

⁵hinken, to limp

Vor Zeiten gab's ein kleines Land,
Worin man keinen Menschen fand,
Der nicht gestottert⁶, wenn er red'te,
Nicht, wenn er ging, gehinket hätte;
Denn beides hielt man für galant⁷.
Ein Fremder sah den Übelstand⁸.
Hier, dacht' er, wird man dich im Gehn
    bewundern müssen,
Und ging einher mit steifen⁹ Füßen.

⁶stottern, to stutter

⁷fashionable
⁸bad state, craze

⁹stiff; straight

Er ging, ein jeder sah ihn an,
Und alle lachten, die ihn sahn,
Und jeder blieb vor Lachen stehen¹⁰
Und schrie: „Lehrt doch den Fremden gehen!"
Der Fremde hielt's für seine Pflicht,
Den Vorwurf¹¹ von sich abzulehnen¹².
„Ihr", rief er, „hinkt; ich aber nicht:
Den Gang¹³ müßt Ihr euch abgewöhnen¹⁴!"
Das Lärmen wird noch mehr vermehrt,
Da man den Fremden sprechen hört.
Er stammelt¹⁵ nicht; genug zur Schande!¹
Man spottet sein im ganzen Lande.

¹⁰stehen bleiben, to stop

¹¹reproach   ¹²to reject

¹³gait   ¹⁴to give up

¹⁵to stammer
¹shame on him

    Gewohnheit macht den Fehler schön,
    Den wir von Jugend auf gesehn.
    Vergebens² wird's ein Kluger wagen,
    Und daß wir töricht³ sind, uns sagen.
    Wir selber halten ihn dafür,
    Bloß⁴, weil er klüger ist als wir.

²in vain

³foolish

⁴only

Der Blinde und der Lahme

    Von ungefähr⁵ muß einen Blinden
Ein Lahmer auf der Straße finden,
Und jener hofft schon freudevoll,
Daß ihn der andre leiten soll.

⁵by chance

    Dir, spricht der Lahme, beizustehen?
Ich armer Mann kann selbst nicht gehen;
Doch scheint's, daß du zu einer Last⁶
Noch sehr gesunde Schultern hast.

⁶load

    Entschließe dich⁷, mich fortzutragen,
So will ich dir die Stege⁸ sagen:
So wird dein starker Fuß mein Bein,
Mein helles Auge deines sein.

⁷sich entschließen, to
  make up one's mind
⁸der Steg, path

34

Der Lahme hängt, mit seinen Krücken[9],
Sich auf des Blinden breiten Rücken.
Vereint wirkt[10] also dieses Paar,
Was einzeln keinem möglich war.

Du haft das nicht, was andre haben,
Und andern mangeln[11] deine Gaben;
Aus dieser Unvollkommenheit[12]
Entspringet die Geselligkeit[13].

Beschwer[14] die Götter nicht[14] mit Klagen.
Der Vorteil, den sie dir versagen[15]
Und jenem schenken, wird gemein.
Wir dürfen nur gesellig[1] sein.

Auch für Gellert war das Dichten mehr
eine Nebenbeschäftigung. Seine Parabeln
sind hauptsächlich Illustrationen zu seinen
sehr[2] besuchten[2] Vorlesungen[3] über "Moral".

Der Mann, der zuerst Dichten weder als
Zeitvertreib[4] noch als Beruf[5], sondern als
Berufung[6] aufgefaßt hat, ist **Klopstock**.

[9]*die Krücke*, crutch

[10]*wirken*, to work, achieve

[11]to lack
[12]imperfection
[13]sociability

[14]don't trouble
[15]to deny

[1]sociable

[2]well attended   [3]lecture

[4]pastime   [5]calling
[6]call

35

Mit Klopstock beginnt

DIE BLÜTEZEIT

der deutschen Dichtung, die etwa von 1750
bis 1830 dauert.

Jetzt, in der zweiten Hälfte des 18. Jahrhunderts, tritt Deutschland in die

WELTLITERATUR

ein.—Wir verstehen unter Werken, die der
Weltliteratur angehören, Dichtungen, die
durch ihre künstlerische Form und/oder
ihren allgemein menschlichen Gehalt[7] die   [7]content, quality
Grenzen ihrer Heimat überschritten haben.
Sie werden in fremde Sprachen übersetzt,
finden das gleiche, manchmal sogar grö-
ßeres Interesse bei den gebildeten[8] Lesern in   [8]educated
fremden Ländern und haben Einfluß auf
die Entwicklung der Literatur anderer Nationen. Shakespeare z. B. ist aus der
deutschen Literatur nicht mehr wegzudenken. Er ist heute sogar in Deutschland besser gekannt und öfter aufgeführt als in
englisch sprechenden Ländern. Ja, man kann
sagen: ohne Shakespeare gäbe es keinen
Goethe und Schiller, Lessing und Kleist; an-
dererseits gäbe es keinen Shelley und Keats,
keinen Longfellow und Byron ohne Goethe
und Schiller.

Von Amerikanern können wohl Emerson,
Thoreau, Mark Twain, Edgar Allan Poe, Walt
Whitman, und aus neuerer Zeit Sinclair
Lewis, Theodore Dreiser, Eugene O'Neill,
Thomas Wolfe, Ernest Hemingway, Thornton
Wilder und William Faulkner als zur Welt-
literatur gehörig betrachtet werden.

(Nicht unbedingt[9] ist die weltweite Ver-   [9]absolutely, in any case
breitung ein Kriterium für dichterische
Größe. Es gibt Werke von hohem Werte,
die infolge ihrer an die Sprache gebundenen[10]   [10]tied
Form und/oder ihres rein[11] nationalen Ge-   [11]purely
halts nur für die eigene Nation von Bedeu-
tung sind.)

Die verschiedenen[12] Nationen haben zu   [12]various

verschiedenen[13] Zeiten die Höhepunkte ihrer literarischen Entwicklung erreicht.

[13]different

ÜBERSICHT*
über die
Blütezeiten der Weltliteratur

*survey

Um 450 v. Chr.	Griechen	(Aeschylus, Sophokles, Euripides)
Um Christi Geburt	Römer	(Cicero, Vergil, Horaz)
Um 1350	Italiener	(Dante, Petrarca, Boccaccio)
Um 1600	Engländer	(Shakespeare)
und		
	Spanier	(Cervantes, Lope de Vega, Calderon)
Um 1700	Franzosen	(Corneille, Racine, Molière)
Um 1800	Deutsche	(Wieland, Lessing, Herder, Goethe, Schiller)
Um 1900	Russen	(Turgenieff, Dostojewski, Tolstoi, Gorki)
und		
	Skandinavier	(Ibsen, Björnson, Strindberg, Lagerlöf)

Abwechselnd[14] hatten die Italiener, die Engländer und Spanier und, vom Ende des 17. Jahrhunderts an ununterbrochen, die Franzosen Weltliteratur hervorgebracht. Aber bis zur Mitte des 18. Jahrhunderts wußten die anderen Nationen kaum, daß eine deutsche Literatur existierte. Man war allmählich[15] zu der Überzeugung gekommen, daß die Deutschen für die Kunst nicht taugen[1]. Nun aber sollte die Welt in unglaublich kurzer Zeit eines Besseren[2] belehrt[2] werden. Was diesen plötzlichen[3] Aufschwung[3] veranlaßt hat, ist schwer zu sagen. Die äußeren Verhältnisse[4] waren gewiß nicht günstig[5]. Von nationaler Einheit war nicht die geringste[6] Spur[6] vorhanden. Die 300 selbständigen[7] Kleinstaaten, aus denen das "Heilige Römische Reich" zusammengesetzt war, bekämpften einander nicht nur politisch und ökonomisch, sondern durch zwanzig Jahre auch mit den Waffen, da viele in den Kriegen zwischen Friedrich dem Großen von Preußen und Maria Theresia von Österreich

[14]by turns

[15]gradually

[1]were not cut out
[2]was to learn better
[3]sudden flowering
[4]condition
[5]favorable
[6]not the slightest trace
[7]independent

37

(1740 bis 1763) für die eine oder die andere Seite Partei ergriffen[8]. Nach dem siebenjährigen Kriege (1756-1763) waren die meisten Staaten zerrüttet[9] und verarmt. Nur das siegreiche[10] Preußen blühte auf. Aber Friedrich, der heute als der größte Deutsche gefeiert wird, hatte für die deutsche Literatur nichts übrig[11].

Die jungen Dichter wurden von ihm nicht gefördert[12]. Er umgab sich mit Franzosen und sprach viel lieber und besser französisch als deutsch. *Klopstock* mußte ins Ausland gehen, um seine Mission erfüllen zu können; *Lessing* bemühte sich [13] vergebens um eine Bibliothekarstelle. *Schiller*, der selbst so schwer zu kämpfen hatte, sagt von der

Deutschen Muse:

Von dem größten deutschen Sohne,
Von des großen Friedrich Throne
Ging sie schutzlos[14], ungeehrt.
Rühmend[15] darf's der Deutsche sagen,
Höher darf das Herz ihm schlagen:
Selbst erschuf er sich den Wert.

Es ist unerklärlich, wie unter diesen Umständen[1] und in der Zeit der tiefsten politischen Erniedrigung[2] der Nation durch Napoleon die deutsche Literatur ihren höchsten Gipfel erklimmen[3] konnte. Solange die Geschichtsphilosophie keine ausreichenden[4] Erklärungen[5] gefunden hat, müssen wir es einem glücklichen Zufall zuschreiben[6], daß *Klopstock* und *Wieland*, *Lessing* und *Herder*, *Goethe* und *Schiller* Zeitgenossen[7] waren und gemeinsam das Große Zeitalter[8] ·der deutschen Dichtung herbeiführen konnten.

Der Zeit[9] nach[9] der erste in der Reihe ist

Friedrich Gottlieb Klopstock
(1724 - 1803)

Klopstock absolvierte das Gymnasium[10] und studierte zwei Jahre Theologie in Leipzig. Aber obwohl er ganz mittellos[11] war, hat er nie einen Beruf ausgeübt oder ein

[8]*Partei ergreifen für*, to take side with

[9]disordered
[10]victorious

[11]did not care for . . at all

[12]*fördern*, to patronize

[13]*sich bemühen*, to try hard

[14]unprotected
[15]proudly

[1]circumstances
[2]humiliation

[3]to climb
[4]sufficient
[5]explanation
[6]attribute

[7]contemporary
[8]Great Age

[9]chronologically

[10]The German *Gymnasium* is a combination of High School and Junior College.
[11]without means

38

Amt bekleidet[12]. Er sah in sich einen Aus-
erwählten[13] und betrachtete es als die
Pflicht der Vornehmen und Reichen, für den
Lebensunterhalt[14] eines Dichters zu sorgen.
Es gelang ihm auch, einen Gönner[15] zu finden,
zwar zunächst nicht in einem deutschen
Fürsten, sondern in König Friedrich von
Dänemark. Dieser lud ihn im Jahre 1750
nach Kopenhagen ein[1] und zahlte dem jungen
Manne eine jährliche Pension. Nach dem
Tode des Königs ließ sich Klopstock in
Hamburg nieder[2], und der Kurfürst[3] von
Baden bewilligte[4] ihm ein lebenslängliches
Jahresgehalt. Klopstock war zeit seines
Lebens hochgeehrt. "Der Schwan von der
Alster"[5] wurde er genannt, und Bewun-
derer aus aller Welt besuchten ihn, u.a.
Wordsworth und Coleridge. Der Tote erhielt
ein öffentliches Leichenbegängnis[6], so glanz-
voll[7] wie es noch nie ein Dichter vor ihm
erhalten hatte. (Später wurden Charles
Dickens in England und Victor Hugo in
Frankreich in ähnlicher Weise geehrt.)

Klopstocks Hauptwerk ist

Der Messias

ein Epos auf den Tod und die Auferstehung[8]
Christi in 20 Gesängen[9] und etwa 20.000
Hexametern. Der Hexameter, bestehend aus
fünf Daktylen und einem Trochäus, ist das
Versmaß[10] des griechischen und lateinischen
Epos. Miltons "Verlorenes Paradies" hatte
den Dichter angeregt[11]. Die ersten drei
Gesänge erschienen im Jahre 1748 und erreg-
ten große Begeisterung[12], die weit über
Deutschland hinausging. Erst 25 Jahre
später wurde das ganze Werk vollendet.
Aber als die letzten Gesänge herauskamen,
blieben sie fast unbeachtet[13]. Die deutsche
Literatur hatte inzwischen unter Wielands,
Herders und Lessings Führung eine andere
Richtung eingeschlagen[14] und hatte Höhen
erreicht, auf die Klopstock nicht folgen
konnte. Auch war ein neuer Stern gerade

[12]to hold an office
[13]chosen

[14]livelihood
[15]patron

[1]einladen, to invite

[2]sich niederlassen, to settle down   [3]Elector
[4]bewilligen, to grant

[5]Die Alster ist der Fluß,
an dem Hamburg liegt.
Anspielung (allusion)
auf Shakespeares Bei-
namen (epithet) "Der
Schwan von Avon".
[6]funeral

[7]splendid

[8]resurrection
[9]canto

[10]meter

[11]anregen, to inspire

[12]enthusiasm

[13]unnoticed

[14]to take a different
course

aufgegangen[15], der alle Blicke auf sich lenkte[1], der junge Goethe.

[15]*aufgehen,* to rise
[1]attract

Der *Messias* beginnt:

Sing, unsterbliche Seele, der sündigen Menschheit
    Erlösung[2],

[2]redemption

Die der Messias auf Erden in seiner Menschheit[3]
    vollendet,

[3]incarnation

Und durch die er Abams Geschlecht[4] zu der Liebe
    der Gottheit

[4]race

Leidend, getötet und verherrlicht, wieder erhöht
    hat.

Also geschah des Ewigen Willen. Vergebens
    erhub[5] sich

[5]*sich erheben,* to rise

Satan gegen den göttlichen Sohn; umsonst stand
    Juda

Gegen ihn auf; er tat's und vollbrachte die große
    Versöhnung[6].

[6]reconciliation

Die Schlußworte lauten:

Jesus nahte dem Thron. Da wurde stiller die
    Stille;

. . . Indem betrat die Höhe des Thrones

Jesus Christus und setzete sich zu der Rechten des
    Vaters.

Es ist hauptsächlich die *Sprache,* die die Bedeutung Klopstocks ausmacht. Luther hatte 200 Jahre vorher den Deutschen die Prosasprache geschenkt. Nun gab Klopstock ihnen die Sprache der Poesie. Dieser Schwung[7], dieser Klang und Fluß der Sprache war etwas ganz Neues. *Herder* sagt später darüber: " . . . *es war, als ob nicht nur eine neue Sprache, sondern gleichsam[8] eine neue Seele, ein neues Herz, eine reinere Dichtkunst gefunden sei.*" Viele konnten es nicht fassen, daß es im Deutschen Verse ohne Reim geben könnte, da doch die französische Dichtung durchwegs[9] gereimt war; von der englischen Dichtung wußte man noch nicht viel.—Manche Wörter, die uns heute selbstverständlich erscheinen, wurden erst von Klopstock in die deutsche Sprache eingeführt, z. B. das Wort *Schöp-*

[7]verve

[8]so to speak

[9]altogether

40

fung für Welt, dann Zusammensetzungen[10] wie *gottgesandt, Feuerstrom, Silberton.* Es gab auch Gegner. Die literarische Welt war in zwei Parteien gespalten. Die eine, unter der Führung des berühmten Leipziger Professors *Gottsched,* bekämpfte diese Art von Dichtung als "unnatürlich" und "vernunftwidrig"[11]. Die andern, die man die "Schweizer" nennt, sahen in Klopstock den "deutschen Milton" und damit die Verwirklichung[12] ihrer Träume. Am meisten wurde gegen den "Messias" eingewendet[13], daß das Werk kein Epos sei, da es zu wenig Handlung[14] habe, zu wenig erzähle. Das haben auch die Anhänger[15] zugeben müssen. Heute wissen wir, daß man dem "Messias" nur gerecht werden[1] kann, wenn man ihn nicht mit Homer und Milton, sondern mit den Oratorien von Bach und Händel vergleicht. Auch in Klopstocks Oratorium ist das Rezitativ, die Erzählung, nur die Verbindung zwischen dem lyrischen Element, den Arien, und dem dramatischen Teil, dem Chor.

Die *Lyrik* ist Klopstocks Stärke. Einige seiner *ODEN,* d.h. Gedichte in erhabenem Stil, sind unvergänglich[2]. In einer von ihnen schildert er den Wettkampf[3] zwischen der aufstrebenden[4] deutschen und der anerkannten[5] englischen Dichtkunst.

[10] compound words

[11] against reason

[12] realization
[13] to object

[14] action

[15] enthusiast

[1] to do justice

[2] imperishable
[3] contest
[4] aspiring
[5] established

Die beiden Mufen

Ich fah, o fagt mir, fah ich, was jetzt gefchieht?
Erblick' ich Zukunft? Mit der britannifchen
Sah ich in Streitlauf Deutfchlands Mufe
Heiß zu den krönenden[6] Zielen fliegen.

Zwei Ziele grenzten, wo fich der Blick verlor,
Dort an die Laufbahn[7]. Diefes befchattete[8]
Des Haines[9] Eiche, jenes weitre
Wehende Palmen im Abendfchimmer.

Gewohnt des Streitlaufs, trat die von Albion
Stolz in die Schranken[10], fo wie fie kam, da fie
Einft mit der Maeonid[11] und jener
Vom Kapitol in den heißen Sand trat.

[6] crowning

[7] race-course   [8] to shade
[9] grove

[10] entered the lists
[11] *die griechische Muse*

41

Sie sah die junge bebende Streiterin[12].   ¹²contestant

. . . .

        „Ja, bei Barden
Wuchs ich mit dir in dem Eichenhain auf;

Allein ich glaubte, daß du gestorben wärst.
Verzeih', o Muse, wenn du unsterblich bist,
Verzeih, daß ich's erst jetzo lerne;
Aber am Ziele nur will ich's lernen.

Doch eh' der Herold dir zu gefahrvoll tönt,
Sinn's nach[13] noch einmal. Bin es nicht ich, die   ¹³think it over
    schon
Mit der am Thermopyl gestritten?
Und mit der hohen der sieben Hügel?"

Sie sprach's. Der große, richtende Augenblick
Kam mit dem Herold näher. „Ich liebe dich,"
Sprach schnell mit Flammenblick Teutona,
„Britin, ich liebe dich mit Bewundrung.

Doch nicht heißer als die Unsterblichkeit
Und jene Palmen. Rühre dein Genius,
Gebeut er's, sie vor mir, doch faß' ich,
Wenn du sie fassest, dann gleich die Kron' auch.

But (I love you) not more warmly than immortality and those palms. Touch them, if thy genius orders it, before me; still I grasp, if thou dost, the crown immediately after.

Und o! Wie beb' ich! O ihr Unsterblichen!
Vielleicht erreich' ich früher das hohe Ziel.
Dann mag, o dann an meine leichte
Fliegende Locke dein Atem hauchen".

Then thy breath may blow upon my light flying locks.

Der Herold klang. Sie flogen mit Adlereil!
Die weite Laufbahn stäubte[14], wie Wolken, auf.   ¹⁴to give off dust
Ich sah: Vorbei[15] der Eiche wehte[1]   ¹⁵past   ¹to blow
Dunkler der Staub, und mein Blick verlor sie.

Klopstocks Bedeutung für die deutsche Literatur liegt in folgendem:

1. Er hat der deutschen Literatur wieder ein *hohes Ziel* gesetzt.

2. Er hat die deutsche *Dichtersprache* geschaffen.

3. Er hat die Aufmerksamkeit[2] des *Aus-   ²attention
landes* auf die deutsche Literatur gelenkt.

4. Er hat durch seine hohe Auffassung[3]   ³conception
von der Berufung des Dichters und durch
sein persönliches Leben den *Dichterstand
gehoben.* Die berühmte französische Schrift-

42

stellerin Madame de Staël schrieb in ihrem
Buche "Über Deutschland": ". . . *Gäbe es in
der Poesie Heilige⁴, so müßte Klopstock zu
ihren ersten zählen.*"

Eines konnte Klopstock nicht erreichen,
nämlich die *Leser* von der französischen
Literatur abzuziehen⁵ und der deutschen
Dichtung zuzuführen⁶.

Lessing, der Klopstock sehr bewunderte,
hat das folgende Sinngedicht⁷ an die Spitze⁸
seiner gesammelten Werke gestellt:

*Wer wird nicht einen Klopstock loben?
Doch wird ihn jeder lesen?—Nein!
Wir wollen weniger erhoben
Und fleißiger⁹ gelesen sein.*

Der Mann, der der deutschen Literatur
ein *Lesepublikum* gebracht hat, war

Christoph Martin Wieland
(1733 - 1813)

Wie viele deutsche Dichter und Künstler
ist Wieland ein Schwabe, ein Süddeutscher,
der Sohn eines protestantischen Pastors.
Sein äußeres Leben verlief¹⁰ ziemlich ruhig.
Jahre hindurch war er Hauslehrer¹¹ in vornehmen Häusern, dann Stadtschreiber¹² in
einer Provinzstadt. Seiner heiteren Verser-
zählung "Musarion" verdankte¹³ er eine Be-
rufung¹⁴ als Professor der Philosophie an
die bischöfliche Universität Erfurt. Durch
einen politischen Roman, den er schrieb,
wurde die verwitwete¹⁵ Herzogin *Amalia* von
Weimar auf ihn aufmerksam¹. Sie suchte
einen Erzieher² für ihre beiden Söhne, den
Thronerben Karl August und Prinz Kon-
stantin. Die Wahl fiel auf Wieland.

Im Jahre 1772 kam Wieland in die kleine
Stadt in Mitteldeutschland, die bald der Mittelpunkt der deutschen Kultur werden soll-
te³. Er ließ sich dauernd⁴ in Weimar nieder. Als die Prinzen keinen Erzieher mehr
brauchten, bezog⁵ er sein Gehalt weiter⁵.
Eine Zeit lang gab er eine angesehene⁶ li-

terarische Zeitschrift[7] heraus[8] Im Jahre 1775 kam Goethe nach Weimar, 1776 Herder und 1799 Schiller. Am Ende des 18. Jahrhunderts waren die führenden Geister Deutschlands am Hofe des Herzogs Karl August versammelt.

Klopstock und Wieland sind *Gegensätze*[9]. In ihnen spiegeln sich[10] die beiden Geistesströmungen, die das 18. Jahrhundert beherrschen, der *Pietismus* und die *Aufklärung*[11]. Beide haben ihre Heimat in England und kommen über Frankreich nach Deutschland. Der Pietismus betont[12] das *Gefühl* als die treibende[13] Kraft[13] im menschlichen Leben, die Aufklärung ordnet alles der *Vernunft* unter[14]. Auf deutschem Boden treten die beiden feindlichen Richtungen einander allmählich näher und ergänzen[15] einander. Kants Philosophie macht den *Mittler*[1]. Zuletzt können Schiller und Goethe im Zeichen des neuen *Humanitätsideals* einander die Hände reichen:

Pietismus	Aufklärung
Die Schweizer	Gottsched
Klopstock	Wieland
Herder	Lessing

Kant
Schiller - Goethe
Humanität

Der Gegensatz zwischen Klopstock und Wieland zeigt sich in ihren Persönlichkeiten und in ihren Werken. Klopstock schwebt[2] in den Wolken, Wieland ist ein heiteres Weltkind. Klopstock sieht in der Poesie ein Heiligtum[3], Wieland eine noble Unterhaltung[4]. Klopstock ist hauptsächlich Lyriker, Wieland Erzähler. Klopstock schildert die höchsten Gefühle: Religion, Freundschaft, Vaterland; Wielands Hauptthema ist die Liebe, nicht selten in ihrer sinnlichen[5] Form. Klopstocks Vorbilder sind Homer und Milton, Wieland nimmt sich die Franzosen zum Muster[6]. Klopstocks Sprache ist pathetisch[7] und würdevoll[8], sein Vers griechisch und unge-

[7]magazine, periodical
[8]*herausgeben*, to edit

[9]contrast
[10]*sich spiegeln*, to be reflected

[11]enlightenment

[12]to stress
[13]moving force

[14]*unterordnen*, to subordinate

[15]to complement

[1]mediator

[2]to hover

[3]sanctum
[4]entertainment

[5]sensual

[6]pattern   [7]lofty
[8]dignified

44

reimt; Wielands Sprache ist leicht, flüssig, gereimt. Klopstock sieht die Schönheit im Erhabenen[9]; Wieland in der Anmut[10]. Klopstocks Ton ist stets ernst und feierlich[11]; Wieland ist heiter und oft scherzhaft[12].

[9] sublimity
[10] charm, grace
[11] solemn
[12] jocular

Klopstock hat dem Dichterberuf zur Achtung[13] verholfen und die Aufmerksamkeit des Auslands auf die deutsche Literatur gelenkt.

[13] esteem

Wieland hat die vornehmen Kreise, die zu dieser Zeit die Kulturträger[14] waren, dazu gebracht, deutsche Bücher zu lesen.

[14] bearer of civilization

So haben beide zusammen den Boden gepflügt[15], auf dem die Saat[1] der großen Klassiker aufgehen[2] konnte.

[15] to plow   [1] seed
[2] to spring

Die Stoffe zu seinen Dichtungen hat Wieland—wie Shakespeare—unbedenklich[3] genommen, wo er sie fand, besonders aus der griechischen Mythologie, den spanischen und französischen Romanzen des Mittelalters und den Volksbüchern des 16. Jahrhunderts.

[3] unhesitatingly

Es läßt sich nicht leugnen[4], daß manche seiner Erzählungen unsittlich[5] oder doch schlüpfrig[6] sind und sich kaum zur Schullektüre eignen. Er hat das selbst gewußt, denn seine Töchter durften die Bücher des Vaters erst nach ihrer Verheiratung lesen. Er mußte wohl, wenn er mit den Franzosen konkurrieren[7] wollte, dem Geschmack des Publikums Rechnung[8] tragen[8].

[4] to deny
[5] immoral
[6] risqué

[7] to compete
[8] to accommodate o. s. to

Wielands Meisterwerk ist das Epos

Oberon

(1780)

Der "Oberon" ist in gereimten Stanzen gedichtet. Der Stoff ist einem altfranzösischen Epos entnommen. Aber auch Anklänge[9] an Chaucer und Shakespeare sind zu finden.

[9] reminiscence

(Der Ritter *Hüon* von Bordeaux hat Karls des Großen bösen Sohn, der ihn meuchlerisch[10] überfallen hatte, getötet. Karl begnadigt[11] ihn unter schweren Bedingungen:)

[10] treacherously
[11] to pardon

45

Zeuch[12] hin nach Babylon, und in der festlichen
    Stunde,
Wenn der Kalif, im Staat[13], an seiner Tafelrunde
Mit seinen Emirn sich beim hohen Mahl
    vergnügt[14],
Tritt hin und schlage dem, der ihm zur Linken
    liegt,
Den Kopf ab, daß sein Blut die Tafel überspritze[15]
Ist dies getan, so nahe züchtig[16] dich
Der Erbin seines Throns, zunächst an seinem
    Sitze,
Und küß als deine Braut sie dreimal öffentlich[1].

Und wenn dann der Kalif, der einer solchen
    Szene
In seiner Gegenwart
Sich nicht versah[2], vor deiner Kühnheit[3] starrt[4],
So wirf dich an der goldnen Lehne
Vor seinem Stuhle hin, nach Morgenländerart[5],
Und zum Geschenk für mich, das unsre Freund=
    schaft kröne,
Erbitte dir von ihm vier seiner Backenzähne[6]
Und eine Handvoll Haar aus seinem grauen Bart.

(Hüon macht sich auf den Weg, um diese
unmöglich erscheinende Aufgabe zu erfüllen. Er trifft *Scherasmin*, einen ehemaligen[7] Knappen[7] seines Vaters, der mit ihm
zieht.

In einem Wald erscheint *Oberon*, der El-
fenkönig, den wir aus Shakespeares "Som-
mernachtstraum" kennen. Er hat sich mit
seiner Gemahlin[8] entzweit[9] und geschworen,
sich nicht eher mit ihr zu versöhnen[10], als bis
er ein Paar gefunden hätte, dessen Treue
und Reinheit[11] sich in den schwersten Prüfungen erprobt hatte. Oberon gibt Hüon
ein Wunderhorn. Wenn er es sanft[12] bläst,
müssen alle Feinde tanzen; wenn er es kräf-
tig[13] erschallen läßt, wird Oberon sofort zu
Hilfe kommen. Auch einen goldenenBecher[14]
gibt Oberon seinem Schützling[15]. Der Becher
hat die Zauberkraft[1], sich mit dem edelsten
Wein zu füllen, wenn ein ehrlicher Mann ihn
an die Lippen setzt; in der Hand eines
Schurken[2] aber wird er glühend[3].

Marginal glosses:

[12]*zieh*, go
[13]pomp
[14]to enjoy o. s.
[15]to bespatter
[16]in gentlemanly fashion
[1]publicly
[2]did not expect
[3]boldness   [4]to stare
[5]in the manner of the Orient
[6]back tooth
[7]former shield-bearer
[8]wife (*Gemahlin, Gattin, Frau, Weib*)
[9]to fall out, quarrel
[10]reconcile
[11]purity
[12]softly
[13]powerful
[14]cup
[15]protégé
[1]magic power
[2]scoundrel   [3]red-hot

Hüon besteht manche Abenteuer und voll-
bringt tapfere Taten ohne Oberons Hilfe.
Er sieht einen Muselmann im Kampfe mit
einem Löwen und erschlägt das Tier. Der
Becher aber wird sofort glühend, als der
Gerettete trinken will. Der Sarazene be-
ginnt nun, den Christengott zu lästern[4], und   [4]to blaspheme
entflieht.

Einmal hat Hüon einen seltsamen[5] Traum.   [5]strange
Er hält ein herrliches Mädchen in seinen
Armen; aber ein Sturm schleudert[6] es in   [6]to fling
einen Strom.

Endlich kommen die beiden nach Baby-
lon. Eine alte Frau nimmt sie auf[7]. Sie   [7]aufnehmen, to take in
erzählt ihnen, daß am nächsten Tage die
Hochzeit *Rezias*, der Tochter des Kalifen,
stattfinden soll. Ihre Tochter *Fatme* ist
Rezias Amme[8], und so weiß die Alte viel.   [8]nurse
Rezia haßt den ihr aufgezwungenen[9] Bräu-   [9]forced upon her
tigam, aber sie erhofft Rettung von einem
Ritter, der ihr im Traume erschienen[10] ist.)   [10]erscheinen, to appear

Aus dem fünften Gesang

Schon tönen Cymbeln, Trommeln, Pfeifen,
Gesang und Saitenspiel[11] vom Hochzeitssaale her;   [11]string music
Schon nickt[12] des Sultans Haupt vom   [12]to nod
    Weindunst[13] doppelt schwer,   [13]vapor of wine
Und freier schon beginnt die Freude auszu-
    schweifen[14].   [14]to go to excesses
Der Braut allein teilt[15] sich die Lust nicht mit[15],   [15]to communicate, impart
Die in des Bräutigams Augen glühet:
Als eben, da sie starr[1] auf ihren Teller siehet,   [1]staring
Herr Hüon in den Saal mit edler Freiheit tritt.

Sogleich erkennt der Held den losen Mann
    von gestern,
Der sich vermaß[2], der Christen Gott zu lästern.   [2]to dare
Er ist's, der links am goldnen Stuhle sitzt
Und seinen Nacken selbst der Straf' entgegen-
    bieget[3].   [3]to bend towards
Rasch, wie des Himmels Flamme, blitzt
Der reiche Säbel auf, der Kopf des Heiden
    flieget
Und hochaufbrausend[4] überspritzt   [4]to gush out
Sein Blut den Tisch und den, der ihm zur Seite
    lieget.

47

Der Aufruhr[5], der den ganzen Saal empöret[6],
Schreckt[7] Rezien aus ihrer Träumerei.
Sie schaut bestürzt[8] sich um, was dessen Ursach
    sei;
Und wie sie sich nach Hüons Seite kehret[9],
Wie wird ihm[10], da er sie erblickt.
„Sie ist's, sie ist's!" ruft er und läßt entzückt[11]
Den blut'gen Stahl und seinen Turban fallen[12],
Und wird von ihr erkannt, wie seine Locken
    wallen[13].

    „Er ist's!" beginnt auch sie zu rufen, doch die
    Scham
Erstickt[14] den Ton in ihrem Rosenmunde.
Wie schlug das Herz ihr erst, wenn er geflogen
    kam,
Im Angesicht[15] der ganzen Tafelrunde
Sie liebeskühn in seine Arme nahm
Und, da sie, glühend bald, bald blaß wie eine
    Büste[1]
Sich zwischen Lieb' und jungfräulichem[2] Gram[2]
In seinen Armen wand[3], sie auf die Lippen
    küßte!

    Schon hat er sie zum zweitenmal geküßt;
Wo aber nun den Trauring[4] herbekommen?
Zum Glücke, daß der Ring an seinem Finger ist,
Den er im Eisenturm dem Riesen abgenommen.
Zwar wenig noch mit dessen Wert vertraut[5],
Schien ihm, dem Ansehn[6] nach, der schlechtste
    kaum geringer.
Doch steckt er ihn aus[7]Not[7] jetzt an des Fräuleins
    Finger
Und spricht: „So eign'[8] ich dich zu meiner lieben
    Braut!"

    Er küßt mit diesem Wort die sanft bezwungne[9]
    Schöne
Zum drittenmal auf ihren holden Mund.
„Ha!" schreit der Sultan auf und knirscht[10] und
    stampft[11] den Grund
Vor Ungeduld. „Ihr leidet[12], daß der Hund
Von einem Franken so mich höhne?"[13]
Ergreift ihn! Zaudern[14] ist Verrat!
Und, tropfenweis'[15] erpreßt, versöhne
Sein schwarzes Blut die ungeheure Tat!"

[5]tumult	[6]to enrage
[7]to alarm	
[8]aghast	
[9]to turn	
[10]what does he feel	
[11]enchanted	
[12]to drop	
[13]to wave	
[14]to choke	
[15]in sight of	
[1]bust	
[2]virginal grief	
[3]to wind, twist	
[4]wedding-ring	
[5]acquainted with	
[6]appearance	
[7]for lack of a better one	
[8]to take	
[9]*bezwingen*, to conquer	
[10]to gnash	
[11]to stamp	
[12]to tolerate	
[13]to insult	
[14]to hesitate	
[15]by drops	

Auf einmal blitzen hundert Klingen[1]
In Hüons Aug', und kaum erhascht[2] er noch,
Eh' sie im Sturm[3] auf ihn von allen Seiten
    dringen[4],
Sein hingeworfnes Schwert. Er schwingt es
    dräuend[5].
Die schöne Rezia, von Lieb' und Angst entgei=
    stert[6],
Schlingt einen Arm um ihn, macht ihre Brust zum
    Schild
Der seinigen, der andre Arm bemeistert[7]
Sich seines Schwerts. „Zurück, Verwegne[8]!"
    schreit sie wild.

Umsonst! Des Sultans Wut und Dräun
Nimmt überhand, die Heiden dringen ein.
Der Ritter läßt sein Schwert vergebens blitzen,
Noch hält ihm Rezia den Arm. Ihr ängstlich
    Schrei'n
Durchbohrt[9] sein Herz. Was bleibt ihm, sie zu
    schützen,
Noch übrig als sein Horn von Elfenbein[10]?
Er setzt es an den Mund und zwingt mit sanftem
    Hauche
Den schönsten Ton aus seinem krummen[11] Bauche.

Auf einmal fällt der hochgezückte[12] Stahl
Aus jeder Faust; in raschem Taumel[13] schlingen[14]
Der Emirn Hände sich zu tänzerischen Ringen[15].
Und Jung und Alt, was Füße hat, muß springen;
Des Hornes Kraft läßt ihnen keine Wahl.
Nur Rezia, bestürzt[1], dies Wunderwerk zu sehen,
Bestürzt und froh zugleich, bleibt neben Hüon
    stehen.

Als eine, die kaum ihren Augen glaubt,
Steht Rezia, des Atems fast beraubt.
„Welch Wunder!" ruft sie aus; „und just in
    dem Momente,
Wo nichts als dies uns beide retten könnte!"—
„Ein guter Genius ist mit uns, Königin!"
Versetzt[2] der Held. Indem kommt durch die
    Haufen[3]
Der Tanzenden sein treuer Scherasmin
Mit Fatmen gegen sie gelaufen.

[1] blade
[2] to catch
[3] rage
[4] to attack
[5] to threaten
[6] terrified
[7] to seize
[8] impudent
[9] to pierce
[10] ivory
[11] curved
[12] *zücken*, to draw
[13] ecstasy   [14] to twist
[15] round dance
[1] amazed
[2] to answer
[3] crowd

49

„Kommt," keucht er, „lieber Herr! Wir haben
   keine Zeit,
Dem Tanzen zuzusehn. Die Pferde stehn bereit,
Die ganze Burg ist toll[4], die Türen alle offen
Und unbewacht; was säumen[5] wir?
Auch hab' ich unterwegs[6] Frau Fatmen angetrof-
   fen[7],
Zur Flucht bepackt[8] als wie ein lastbar Tier[9]".
„Sei ruhig," spricht der Held, „noch ist's nicht
   Zeit zu gehen;
Erst muß das Schwerste noch geschehen."

Allmählich ließ nunmehr die Kraft des Hornes
   nach[10].
Die Köpfe schwindelten[11], die Beine wurden
   schwach,
Kein Faden[12] war an allen Tänzern trocken,
Und in der atemlosen Brust
Geschwellt[13], begann das dicke Blut zu stocken[14],
Zur Marter[15] ward die unfreiwill'ge Lust.
Durchnäßt[1], als stieg' er gleich aus einer Bade-
   wanne[1a],
Schwankt[2] der Kalif auf seine Ottomane.

Herr Hüon macht die Stille sich zu Nutze[3],
Die auf dem ganzen Saale ruht;
Läßt seine Königin nah' bei der Tür im Schutze
Des treuen Scherasmin, dem er auf seiner Hut[3a]
Zu sein gebeut[4], gibt ihm auf alle Fälle
Das Horn von Elfenbein, und naht sodann der
   Stelle,
Wo der Kalif, vom Ball noch schwach und matt,
Auf einen Polsterthron sich hingeworfen hat.

Er läßt sich auf ein Knie vor dem Monarchen
   hin,
Und mit dem sanften Ton und kalten Blick des
   Helden
Beginnt er: „Kaiser Karl, von dem ich Dienst-
   mann[5] bin,
Läßt seinen Gruß dem Herrn der Morgenländer
   melden
Und bittet dich—verzeih', mir fällt's[6] zu sagen
   hart[6],
Doch meinem Herrn den Mund sowie den Arm
   zu lehnen[7]

[4]mad
[5]what are we waiting for?
[6]on the way
[7]meet
[8]packed up
[9]beast of burden

[10]*nachlassen*, to diminish
[11]be giddy

[12]thread, stitch

[13]*schwellen*, to swell
[14]stagnate
[15]torture
[1]wet through
[1a]bath tub

[2]to stagger

[3]take advantage of

[3a]guard
[4]orders

[5]vassal

[5]I find it hard

[7]obs. *leihen*, to lend

50

Ist meine Pflicht — um vier von deinen Backen=
    zähnen
Und eine Hand voll Haar aus deinem Silberbart."

Er spricht's und schweigt und steht gelassen[8],   [8]composed
Des Sultans Antwort abzupassen[9].   [9]to await
Allein wo nehm' ich Atem her, den Grimm[10]   [10]fury
Des alten Herrn mit Worten euch zu schildern?
Wie seine Züge[11] sich verwildern[12],   [11]features
Wie seine Nase schnaubt[13]; mit welchem Unge=   [12]to become wild
    stüm[14]   [13]to snort
Er auf vom Throne springt; wie seine Augen   [14]violence
    glotzen[15],   [15]to stare
Und wie vor Ungeduld ihm alle Adern strotzen[1]. [1]to protrude

„Wer ist der Karl, der gegen mich sich brüstet[2]?   [2]to boast
Und warum kommt er nicht, wenn's ihn
So sehr nach meinem Bart und meinen Zähnen
    lüstet[3],   [3]to long for
Und wagt's, sie selber auszuziehn?"[4]   [4]to extract
„Der Mensch muß unter seiner Mütze[5]   [5]cap
Nicht richtig sein[6]!" versetzt ein alter Kan.   [6]coll., to be not quite right
„So etwas allenfalls[7] begehrt man an der Spitze[7a]   in the head [7]perhaps
Von dreimalhunderttausend Mann!"   [7a]in front of

„Kalif von Bagdad," spricht der Ritter
Mit edlem Stolz, „laß alle schweigen hier
Und höre mich! . . .
Entschließe dich, von Mahomed zu weichen[8],   [8]to leave
Erhöh'[9] das heil'ge Kreuz, das edle Christen= [9]to raise
    zeichen,
In Babylon, und nimm den wahren Glauben
    an[10],   [10]*annehmen,* to accept
So hast du mehr, als Karl von dir begehrt,
    getan.

Dann nehm ich's auf mich selbst; dich völlig
    loszusprechen[11]
Von jeder andern Forderung[11],   [11]to absolve you from . . .
Und der soll mir zuvor den Nacken brechen,   demand
Der mehr verlangt! So einzeln und so jung
Du hier mich siehst, was du bereits[12] erfahren, [12]so far
Verkündigt[13] laut genug, daß einer mit mir ist, [13]to proclaim
Der mehr vermag, als alle deine Scharen[14]."   [14]troops

Herr Hüon hatte kaum das letzte Wort ge=
    sprochen,

51

So fängt der alte Schach wie ein Besessner[15] an
Zu schrein, zu stampfen und zu pochen[1],
Und sein Verstand tritt gänzlich aus der Bahn[2].
Die Heiden all' in tollem Eifer[3] springen
Von ihren Sitzen auf mit Schnauben und mit
    Dräun,
Und Lanzen, Säbel, Dolche[4] dringen
Auf Mahoms Feind von allen Seiten ein[5].

    Der gute Scherasmin, der an der Türe fern
Zum Schutz der Schönen steht, glaubt, seinen
    ersten Herrn
Im Schlachtgedräng[6] zu sehn und überläßt[7] voll
    Freude
Sich einen Augenblick der süßen Augenweide[8];
Doch bald zerstreut[9] den angenehmen Wahn[10]
Des Fräuleins Angstgeschrei; er sieht der Heiden
    Rasen[11],
Sieht seines Herrn Gefahr, setzt flugs[12] das
    Hifthorn[13] an
Und bläst, als läg'[14] ihm ob[14], die Toten aufzu=
    blasen.

(Es wird Nacht, es blitzt und donnert, und
die Sarazenen sinken wie tot nieder. Lieblich wie ein Engel erscheint *Oberon* auf
einer Wolke. Er ermahnt[15] Rezia, es sich
noch einmal zu überlegen[1], ob sie alles verlassen und Hüon folgen will.)

    Doch Rezia, durchglüht[2] von seinem ersten
    Kuß,
Braucht keines Zunders[3] mehr, die Flamme zu
    erhitzen;
Wie wenig däucht[4] ihr noch, was sie verlassen
    muß,
Um alles, was sie liebt, in Hüon zu besitzen.
Von Scham und Liebe rot bis an die Finger=
    spitzen
Verbirgt[5] sie ihr Gesicht und einen Tränenguß
In seinem Arm, indem, hoch schlagend vor Ent=
    zücken[6],
Ihr Herz empor sich drängt[7], an seines sich zu
    drücken.

    Und Oberon bewegt den Lilienstab[8]
Sanft gegen sie, als wollt' er seinen Segen

[15]one possessed
[1]to pound
[2]track
[3]haste

[4]dagger
[5]*eindringen*, to rush in
    upon

[6]melée   [7]to indulge

[8]delight of the eyes
[9]to disperse   [10]delusion

[11]rage
[12]quickly
[13]hunting-horn
[14]as if it were his job

[15]to warn
[1]to think it over

[2]inflamed

[3]tinder

[4]*es dünkt mir*, it seems to
    me

[5]to hide

[6]delight
[7]to strive

[8]lily-wand

52

Auf ihres Herzens Bündnis[9] legen,
Und eine Träne fällt aus seinem Aug' herab
Auf beider Stirn. „So eil' auf Liebesschwin=
    gen[10],"
Spricht er, „du holdes Paar! Mein Wagen
    steht bereit,
Bevor das nächste Licht der Schatten Heer zer=
    streut[11],
Euch sicher an den Strand von Askalon zu
    bringen."

(Oberon entschwindet. Hüon schlingt
seinen Arm um Rezia und spricht:)

„Komm, laß' uns fliehn, eh' uns den Weg zur
    Flucht
Ein neuer Feind vielleicht zu sperren[12] sucht;
Und sei gewiß, sind wir nur erst geborgen[13],
Wird unser Schützer[14] auch für diese Schläfer
    sorgen[15]."
Dies sprechend trägt er sie mit jugendlicher Kraft
Die Marmortrepp'[1] hinunter bis zum Wagen,
Den Oberon zu ihrer Flucht verschafft[2].
Und eine süßre Last hat nie ein Mann getragen.

Die ganze Burg ist furchtbar still und leer
Wie eine Gruft[3], und Leichen[4] ähnlich liegen
In tiefem Schlaf die Hüter[5] hin und her;
Nichts hemmt[6] der Liebe Flucht, der Wagen wird
    bestiegen[7].
Doch traut[8] das Fräulein sich dem Ritter nicht
    allein,
Mit Scherasmin steigt auch die Amme hastig[9] ein.
Sie, die zum erstenmal so viele Wunder siehet,
Die arme Frau weiß nicht, wie ihr geschiehet.

Wie wird ihr, da sie rückwärts schaut
Und sieht an Pferde statt vier Schwanen vor dem
    Wagen,
Regiert[10] von einem Kind! Wie schaudert ihr die
    Haut,
Da sie emporgelupft[11] und durch die Luft getragen
Sich fühlt, und kaum zu atmen sich getraut,
Und nicht begreifen kann, wie, ohne umzuschla=
    gen[12],

[9]union

[10]wings of love

[11]to disperse

[12]to bar, block
[13]safe
[14]protector
[15]to take care
[1]staircase of marble
[2]to provide

[3]tomb   [4]corpse
[5]watchman
[6]to hamper
[7]*besteigen*, to mount
[8]to entrust

[9]hastily

[10]to lead

[11]lifted up

[12]to turn over

53

So schwer bepackt[13] der Wagen sich erhebt
Und, steter[14] als ein Kahn[15], auf leichten Wolken
   schwebt!

(Scherasmin und Fatme schlafen bald ein,
Hüon und Rezia sitzen eng aneinander ge-
schmiegt[1] und tauschen Liebesworte.)

Allmählich wiegt[2] die Wonnetrunkenheit[3]
Das volle Herz in zauberischen Schlummer;
Die Augen sinken zu, die Sinne werden stummer,
Die Seele dünkt vom Leibe sich befreit,
In e i n Gefühl beschränkt[4], so fest von ihm
   umschlungen[5]!
So inniglich[6] von ihm durchatmet und durch=
   drungen!
Beschränkt in Eins, in diesem Einen bloß
Sich fühlend—aber o dies Eins wie grenzenlos[7]!

(Bevor die Gesellschaft[8] sich einschifft[9],
übergibt Oberon dem Hüon ein Kästchen[10]
mit des Kalifen Bart und Zähnen.—Die Liebenden sollen zuerst nach Rom fahren und
ihren Bund vom Papste segnen lassen.
Hüon unterrichtet Rezia im Christentum
und gibt ihr den Namen Amanda. Doch die
Liebenden übertreten[11] Oberons Gebot. Sofort erhebt sich ein furchtbarer Sturm. Die
Schiffsmannschaft[12] glaubt, daß ein Sünder
an Bord ist. Das Los[13] soll entscheiden. Es
fällt auf Hüon. Amanda stürzt sich mit
ihm ins Meer. Sie werden gerettet und
kommen auf eine fruchtbare[14] Insel, auf der
nur ein Einsiedler[15] haust[1]. Hier verleben
sie eine glückliche Zeit. Amanda schenkt[2]
einem Sohne das Leben[2].
Bald aber brechen neue Prüfungen über sie
herein. Auf mystische Weise wird die Fa-
milie auseinandergerissen[3]. Der Knabe ver-
schwindet spurlos[4], Amanda wird von See-
räubern[5] geraubt. Hüon wird von Geisterhän-
den nach Tunis entführt. Amanda hat den
Nachstellungen[6] eines Sultans zu widerstehen, Hüon den Verführungskünsten[7] einer
Sultanin. Beide bleiben standhaft und treu.
Endlich finden sie einander wieder. Aber

[13]loaded
[14]steady   [15]boat

[1]to lean

[2]to rock
[3]drunkenness of delight

[4]to bound
[5]to embrace
[6]hearty

[7]boundless

[8]party   [9]to embark
[10]little box

[11]to violate

[12]crew
[13]lot

[14]fertile
[15]hermit   [1]to live
[2]to give birth to

[3]to separate
[4]without leaving a trace
[5]pirate

[6]approaches
[7]seductions

54

wie? Sie sollen auf demselben Scheiter-
haufen[8] verbrannt werden.

Schon wird er angezündet—da lösen sich
plötzlich die Bande[9], und Oberons Horn
hängt an Hüons Hals. Er bläst es. Alle
beginnen zu tanzen. Der kleine Hüonnet
wird von drei Elfen herbeigebracht. Auch
Scherasmin und Fatme, die inzwischen manche Abenteuer zu bestehen hatten, sind
wieder da. Der Schwanenwagen führt sie
in Oberons Palast. Hier sehen sie herrliche[10]
Wunder. Eines Tages erwachen sie und be-
finden sich vor Paris. Eben wird ein Tur-
nier[11] ausgerufen. Der Sieger soll den Besitz[12] Hüons, den man für tot hält, erhalten.
Hüon tritt in die Schranken[13] und siegt.
Dann geht er ins Schloß, überreicht Karl das
Kästchen und stellt seine Gemahlin vor[14].
Der Kaiser steigt vom Throne und heißt
ihn freundlich willkommen.)

*"Sein 'Oberon' wird, solange Poesie Poesie,
Gold Gold und Krystall Krystall bleiben
wird, als ein Meisterstück poetischer Kunst
geliebt und bewundert werden,"* schrieb
Goethe nach der Lektüre[15] des Epos und
sandte dem Dichter einen Lorbeerkranz[1]. Er
ist noch heute nicht verwelkt[2]. Karl Maria
von Webers Oper hat dazu beigetragen[3], ihn
frisch zu erhalten.

Klopstock hat die deutsche *Lyrik* bereichert[4], indem er ihr große Stoffe und eine
erhabene Sprache gab; *Wieland* hat gezeigt,
daß die Deutschen in der *erzählenden*[5] Dichtkunst mit den Franzosen erfolgreich[6] konkurrieren[7] können. Der erste deutsche Dichter und Schriftsteller[8] von europäischer
Bedeutung, dessen Haupttätigkeit dem *Theater* galt[9], war

Lessing
(1729 - 1781)

Gotthold Ephraim Lessing war wie Wieland der Sohn eines lutherischen Pastors—
der älteste von zehn Söhnen. Unter großen

8 pyre

9 fetters

10 glorious

11 tournament
12 possessions
13 lists

14 *vorstellen,* to present

15 reading
1 laurel wreath
2 to wilt
3 to contribute

4 to enrich

5 narrative
6 successfully
7 to compete
8 critic

9 was devoted to

Entbehrungen[10] studierte er und brachte[11] es zum Magister der Philosophie[12]. Wir würden ihn heute einen *Journalisten* nennen, denn er schrieb für Tageszeitungen und Wochenschriften[13] und lebte von seiner Feder —meist recht kümmerlich[14].

Seine Aufenthaltsorte[15] wechselten. Berlin, Leipzig, Breslau und Hamburg waren die hauptsächlichen Stationen seiner Wanderschaft. Endlich verlieh[1] ihm der Herzog von Braunschweig eine schlecht bezahlte Bibliothekarstelle in Wolfenbüttel. Hier verbrachte er einsam und unglücklich die letzten zehn Jahre seines Lebens. Seine Frau war ihm nach zweijähriger Ehe durch den Tod entrissen worden[2]. Er selbst starb im Alter von 52 Jahren—wie Shakespeare.

Um Lessings Werk und Wirken[3] zu verstehen, müssen wir wissen, wie das deutsche Drama entstand, sich entwickelte, und wie es um die Mitte des 18. Jahrhunderts aussah[4].

ÜBERSICHT[5]
über die
ENTWICKLUNG DES DEUTSCHEN DRAMAS

Wie das Drama aller Nationen entspringt auch das deutsche Drama aus drei Quellen, und die Bäche fließen eine lange Zeit neben einander.

1. Die erste Quelle ist der christliche *Gottesdienst*. Die Liturgie ist ein Dialog. Wird dieser nicht nur gesprochen, sondern von Personen dargestellt[6], so ist der Ansatz[7] zu einem Drama gegeben. Bei besonderen Festen, z.B. zu Ostern, wurde das auch seit dem 10. Jahrhundert geübt[8], nicht nur in Deutschland, sondern auch in Frankreich und England. Die drei Marien, dargestellt von Priestern in weißen Gewändern[9], gingen zu einem Seitenaltar, wo das Grab Christi errichtet war, und sangen, natürlich lateinisch: *"Wer wird uns den Stein von dem Grabe wälzen[10]?"* Ein als Engel gekleideter

[10]privations
[11]managed to become
[12]M.A.

[13]weekly magazine
[14]scantily
[15]residence

[1]*verleihen*, to grant

[2]*entreißen*, to tear away

[3]works and work

[4]*aussehen*, to look like

[5]survey

[6]to represent
[7]rudiments

[8]to practise

[9]*das Gewand*, garment

[10]to roll

56

Geistlicher oder Chorknabe fragte: *"Wen suchet ihr?"* Die Frauen antworteten: *"Jesum von Nazareth, den Gekreuzigten."* Der Engel erwiderte: *"Er ist nicht hier. Er ist auferstanden, wie er verkündet[11] hat."* Die Frauen gingen zurück und meldeten der Gemeinde[12]: *"Christ ist erstanden."*—Diese paar Sätze bildeten die älteste Form des Osterspiels. Sie wurden allmählich durch deutsche Zusätze[13] erweitert[14]. Sogar komische Szenen wurden eingefügt[15]. Der Krämer[1], bei dem die Frauen die Salben[2] kaufen, war die erste komische Figur. Später wird das Spiel von der Kirche ins Freie verlegt, immer mehr weltliche Züge mischen sich ein, und die Darsteller sind meist Laien, Bürger und Studenten. Mit der Zeit kommen andere Stoffe hinzu. Weihnachts- und Dreikönigsspiele[3] werden aufgeführt. Das "Passionsspiel" umfaßt bald das ganze Leben Christi. Auch einzelne Kapitel aus der Bibel werden dramatisiert. So entwickelt sich das *religiöse Drama*.

2. Die zweite Quelle ist das klassische Drama der *Griechen* und *Römer*. Aus diesem entsteht das sogenannte *Schuldrama*, das von Studenten bei Schulfeiern gespielt wird. Es ist natürlich *lateinisch*.

3. Das *Volksdrama* entwickelt sich ganz unabhängig von den beiden andern aus Situationen des täglichen Lebens, die an und für sich[4] dramatisch sind, wie eine Gerichtsverhandlung[5], ein Streit, ein Einkauf in einem Laden[6]. Dazu kommen alte Sagen, Anekdoten, volkstümliche Gedichte, die man in Dialoge kleidet. Auch altheidnische Frühjahrsgebräuche dienen als Muster. Aus all dem entsteht das *Fastnachtsspiel*, das in *Hans Sachs* seinen Höhepunkt erreicht. Die Vorstellungen finden in Wirtshäusern und auf Marktplätzen statt. Die Fastnachtsspiele sind lustige Einakter, oft recht derb[7] und zotig[8]. Manche Stoffe sind international und werden immer wieder behandelt, z.B. die französische Posse[9] vom Maître Pathelin.

[11]to announce

[12]congregation

[13]addition [14]to extend

[15]to insert

[1]shopkeeper [2]ointment

[3]*Dreikönig*, Epiphany

[4]in themselves

[5]court trial

[6]*der Laden,* store

[7]coarse

[8]obscene

[9]farce

Die *Reformation* beeinflußte alle drei Gattungen, aber ein Werk von Bedeutung hat das 16. Jahrhundert nicht hervorgebracht.

Ein neuer Impuls kam um das Jahr 1600 von *England*. Englische Schauspieltruppen[10] ("English Comedians") kamen nach Deutschland. Sie brachten das elisabethinische Drama, wenn auch verstümmelt[11], und sie brachten den Clown. Sie zeigten dem erstaunten Publikum auf dem Kontinent, daß man auf der Bühne spielen[12] müsse und nicht nur die Rollen hersagen[13]. Ja, sie agierten noch lebhafter[14] als zuhause, da die Leute die englischen Worte nicht verstanden. Endlich zeigten sie den deutschen Dilettanten, daß es professionelle Schauspieler[15], daß es einen Schauspielerstand gebe.

Auf keinem der vier Gebiete blieb die Wirkung[16] aus[1].

1. Es begannen Übersetzungen und Nachahmungen des elisabethinischen Dramas, dessen Größe man allerdings nicht verstand.

2. Der Shakespearische Narr[2] und der Clown der englischen Komödie wurden in Deutschland zur ständigen komischen Figur des *Hanswurst*.

3. Den deutschen Darstellern wurden die Glieder[3] gelöst: sie lernten, sich auf der Bühne zu bewegen.

4. Es bildeten sich deutsche professionelle Schauspieltruppen, die sich nach ihren Vorbildern *"Englische Komödianten"* nannten.

Doch der Entwicklung eines deutschen Dramas in der Art[4] des englischen stellte sich der dreißigjährige Krieg entgegen. Er war für das Drama noch verhängnisvoller[5] als für die anderen Dichtungsgattungen. Um die Mitte des 17. Jahrhunderts war Shakespeare nicht einmal dem Namen nach bekannt. Die Gelehrten, die die Literatur im 17. Jahrhundert beherrschten, schrieben wohl auch Dramen. Aber dieses sogenannte *Alexandriner*- oder *Gelehrtendrama* blieb dem Volke fremd.

[10]stock company

[11]mutilated

[12]to act
[13]to recite
[14]lively

[15]actor

[16]effect
[1]*ausbleiben,* to fail to appear

[2]fool

[3]limb

[4]in the way

[5]disastrous

Am Beginne des 18. Jahrhunderts sah das Drama so aus:

Es gab eine *volkstümliche* und eine *gelehrte* Richtung[6]. Zu der ersteren gehörten ernste Stücke, die man *"Haupt- und Staatsaktionen"*[7] nannte, und die *Hanswurstiaden*. Die Tragödien überboten[8] einander an Fülle des Geschehens und an blutrünstigem[9] Inhalt. Sie waren für das ungebildete Volk dasselbe wie heute die Westfilme. Die Hanswurstiaden waren rohe und geschmacklose Possen[10]. Das "gelehrte" Drama war in Alexandrinern geschrieben, leblos und geschraubt[11].

Da erschien im Jahre 1730 ein Buch, das den größten Einfluß auf die Entwicklung des Dramas haben sollte. Es war eine Poetik, die den Titel führte: *"Versuch*[12] *einer kritischen Dichtkunst für die Deutschen"*. Ihr Verfasser[13] war der Leipziger Professor

Gottsched.

Unter *"Poetik"* verstand man zu dieser Zeit ein Regelbuch, gleichsam ein Kochbuch der Poesie, denn man glaubte, daß die Dichtkunst gelehrt und gelernt werden könne. Heute verstehen wir unter einer Poetik ein Buch über das Wesen[14] und die Gattungen der Poesie.

Gottsched war ein Jünger[15] der *Aufklärungsphilosophie*[1] (Leibnitz, Thomasius, Wolff), die auf die englischen Empiristen (Bacon, Locke, Hume) und die Deisten (Hobbes) zurückgeht. Er glaubte, daß *Vernunft*[2] die einzige Quelle menschlichen Wissens und Handelns sei oder doch sein sollte. Dieses Prinzip wendet er auch auf die Kunst an[3]. Alle Kunst muß vor allem vernunftgemäß[4] sein. Wie einfach sich Gottsched das Dichten vorstellt, zeigt sein berühmtes Rezept[5]: *"Man wähle*[6] *sich einen lehrreichen*[7] *moralischen Satz . . . Hierzu ersinne*[8] *man eine allgemeine Begebenheit*[9]*, aus der dieser Lehrsatz*[10] *sehr augenschein-*

[6]branch
[7]*In England*: "Chronicle-Plays" und "Histories"
[8]*überbieten*, to outbid
[9]gory
[10]*die Posse*, farce
[11]stilted
[12]essay
[13]author
[14]nature
[15]disciple
[1]philosophy of enlightenment
[2]reason
[3]*anwenden*, to apply to
[4]rational
[5]recipe
[6]to choose
[7]instructive
[8]to invent
[9]occurrence
[10]theorem

lich in die Sinne[11] fällt[11]". In der Vorrede[12] rühmt[13] er: "Anfänger werden dadurch (nämlich durch das Buch) in den Stand[14] gesetzt[14], alle üblichen[15] Arten von Gedichten auf untadelige[1] Art zu verfertigen[2]."

Gottscheds Vorbild ist die "tragédie classique" der Franzosen. Boileaus Regeln sind ihm Gesetz. Im Drama muß unbedingt[3] an den "drei Einheiten"[4] festgehalten[5] werden.

Gottscheds Buch hatte einen erstaunlichen Erfolg. So ging er von der Theorie zur Praxis über[6]. Er erklärte den "Haupt- und Staatsaktionen" und den "Hanswurstiaden" den Krieg. An ihre Stelle setzte er das "Regelmäßige[7] Drama". Er selbst, seine Frau und einige seiner Schüler übersetzten französische Dramen und schrieben eigene nach französischem Muster. Gottsched fand die Unterstützung[3] der besten deutschen Theatergesellschaft, die diese Stücke aufführte.

Zehn Jahre war Gottsched der privilegierte Diktator der deutschen Literatur. Dann traten zwei Schweizer Kritiker gegen ihn auf[9]. In diesem Streit[10] wurde er vollständig geschlagen[11]. Nur auf dem Theater, für das sich die Schweizer weniger interessierten, dauerte sein Einfluß noch länger. Erst durch *Lessing* wurde Gottsched erledigt[12].

Lessings erste Tat[13] war sein Prosadrama

Miss Sara Sampson
(1755)

In diesem Stück beobachtet[14] Lessing genau[15] Gottscheds Regeln von den "drei Einheiten". Die Handlung[1] spielt[2] an einem Orte, an einem Tage und ohne irgendwelche[3] Abschweifungen[4] und Episoden. Dennoch bringt das Trauerspiel eine der bedeutungsvollsten[5] Neuerungen in der Geschichte des deutschen Dramas. Lessing brach[6] mit der Tradition, daß nur Könige und Fürsten die Helden[7] einer Tragödie sein können, und daß diese in vergangenen Zeiten und entfernten[8]

60

[11] is very lucid [12] preface
[13] to boast
[14] to enable
[15] usual
[1] perfect [2] to make

[3] absolutely
[4] Three Unities
[5] to keep to

[6] *übergehen*, to pass

[7] according to the rules

[8] assistance

[9] *auftreten*, to come forward [10] controversy
[11] to defeat

[12] to finish off
[13] deed

[14] to observe
[15] fully
[1] plot [2] is laid
[3] any
[4] digression
[5] most significant
[6] *brechen*, to break
[7] leading characters
[8] remote

Ländern spielen müsse. Er folgte dem Beispiele der Engländer Richardson und George Lillo. Der erstere nahm in seinem Roman "Clarissa Harlowe", der zweite in seinem Drama "London Merchant" die Charaktere aus dem Mittelstand und der englischen Gegenwart[9]. "Miss Sara Sampson" ist das erste deutsche "bürgerliche[10] Trauerspiel"[10], das erste in einer langen Reihe[11], die sich bis in unsere Zeit erstreckt[12]. Lessing sucht[13] nicht zu verbergen[14], daß die Engländer sein Vorbild sind. Das Stück spielt in England. Sara, die Tochter des Lord Sampson, ist mit ihrem bürgerlichen Liebhaber Mellefont durchgegangen[15]. Sie wohnen in einem Gasthof[1]. Marwood, Mellefonts frühere[2] Geliebte[2], entdeckt[3] sie dort und vergiftet[4] Sara. Mellefont tötet sich selbst. Lord Sampson, bereit[5], seinen Segen zu geben, kommt zu spät.—Zum erstenmal sehen wir hier zwei *Motive*[6], die sich später in unzähligen[7] bürgerlichen Dramen finden:

1. Der Mann zwischen zwei Frauen. Die eine ist die sentimentale, die andere die dämonische, leidenschaftliche[8].
2. Das Motiv des Standesunterschiedes[9].

Lessings zweites Werk von Bedeutung ist eine kritische Wochenschrift in Briefform, die

Literaturbriefe.

Der jüdische Philosoph Moses Mendelssohn und der Buchhändler Nicolai waren seine Mitarbeiter. Am wichtigsten ist der 17. Brief, der Gottsched den Garaus[10] macht[10] Eine literarische Zeitschrift hatte erklärt: *"Niemand wird leugnen*[11], *daß die deutsche Schaubühne*[12] *einen großen Teil ihrer Verbesserungen*[13] *Gottsched zu danken hat*[14]". — Lessing antwortet: *"Ich bin dieser niemand, ich leugne es geradezu*[15]." Er erklärt, daß die französischen Stücke, die Gottsched empfahl[1], dem deutschen Charakter nicht angemessen[2] seien. Die Deutschen sollten Shakespeare und den Engländern folgen. Er stellt

[9]present
[10]domestic or bourgeois tragedy
[11]line
[12]to extend   [13]to try
[14]to conceal, disguise

[15]*durchgehen*, to elope
[1]inn
[2]former mistress
[3]to discover
[4]to poison
[5]willing
[6]motif, fundamental situation
[7]innumerable

[8]passionate
[9]class distinction

[10]to finish off

[11]to deny
[12]stage
[13]improvement   [14]to owe

[15]absolutely

[1]*empfehlen*, to recommend
[2]appropriate

der "Artigkeit[3], Zärtlichkeit[4], Verliebtheit[5]"
der Franzosen die "Größe[6], das Gewaltige[7].
Erhabene[8]" der Engländer entgegen[9].

[3]nicety [4]tenderness
[5]amorousness
[6]greatness [7]power
[8]sublimity
[9]entgegenstellen, oppose

Das zweite Theaterstück Lessings ist

Minna von Barnhelm
(1767)

Es ist *das erste deutsche Lustspiel*. Obwohl von der englischen Komödie beeinflußt, ist es durchaus[10] national im Gehalt[11] und in den Charakteren.

[10]entirely [11]content

Das Stück spielt in Berlin, unmittelbar[12] nach dem siebenjährigen Kriege (1756-1763), also für Lessings Zeitgenossen in der deutschen Gegenwart.

[12]immediately

(Der Held, *Major von Tellheim*, ist ein preußischer Offizier, der aus der Armee entlassen[13] wurde, unter Umständen, die einen Schatten[14] auf seinen guten Namen werfen[14]. Er hatte während des Krieges den Befehl[15] erhalten, in dem besiegten Sachsen eine Kriegskontribution[1] einzuheben[2]. Er konnte aber die Summe aus dem verarmten Lande nicht hereinbringen[3] und streckte daher 2000 Goldstücke aus seiner eigenen Tasche vor[4]. Durch diese edelmütige[5] Tat gewann er die Liebe der sächsischen Aristokratin *Minna von Barnhelm*. Sie verlobte[6] sich mit ihm. Durch den Krieg wurden sie getrennt und hörten lange nichts von einander.

[13]to discharge
[14]to reflect on his good name
[15]order
[1]war contribution
[2]to collect
[3]to raise
[4]*vorstrecken*, to advance
[5]noble
[6]to become engaged to be married

Als Tellheim nach dem Friedensschluß[7] seine Wechsel[8] präsentierte, wurde der Verdacht[9] ausgesprochen, er habe sich von den Sachsen bestechen[10] lassen. Die Bezahlung wurde verweigert[11]. Tellheim ist ruiniert. Sein Ehrbegriff[12] verbietet ihm, Minna zu heiraten. Er benachrichtigt[13] sie aber nicht von seinem Entschluß[13]. Mit seinem Diener Just hat er in einem Gasthof Quartier genommen[14] und wartet hier die Regelung[15] seiner Angelegenheit ab. Er ist so heruntergekommen[1], daß er den Wirt[2] nicht bezahlen kann. Dieser vermietet[3] daher Tellheims Zimmer an eine vornehme Dame, die eben

[7]conclusion of peace
[8]bill of exchange, draft
[9]suspicion
[10]to bribe
[11]to refuse
[12]sense of honor
[13]sends no word of his resolution
[14]to take quarters
[15]settlement
[1]he has sunk so low
[2]innkeeper
[3]to let

ankam. Tellheim verpfändet[4] seinen Verlobungsring[5], um seine Schuld zu begleichen[6], und sucht ein anderes Quartier.)

Lessing hielt sich[7] streng an die Regeln des Aristoteles über den Aufbau[8] des Dramas. Nur eine einzige "Episode" gestattete er sich[9], um Tellheims edelmütigen Charakter zu zeigen:

I. 5, 6.
(verkürzt[10])

(Eine Dame in Trauer[11]. Tellheim.)

Die Dame. Ich bitte um Verzeihung, mein Herr[12].

Tellheim. Wen suchen Sie, Madame?

Dame. Eben den würdigen[13] Mann, mit welchem ich die Ehre habe zu sprechen. Sie kennen mich nicht mehr? Ich bin die Witwe Ihres ehemaligen[14] Stabsrittmeisters[15]—

Tellheim. Um des Himmels willen, gnädige Frau[1]! Welche Veränderung!

Dame. Ich stehe vom Krankenbette[2] auf, auf das mich der Schmerz über den Verlust meines Mannes warf. Ich muß Ihnen früh beschwerlich fallen[3], Herr Major. Ich reise auf das Land . . .

Tellheim. Reden Sie frei, gnädige Frau! Womit kann ich Ihnen dienen?[4] Sie wissen, Ihr Gemahl[5] war mein Freund; mein Freund, sage ich; ich war immer karg[6] mit diesem Titel.

Dame. Ich darf nicht abreisen, ohne seinen letzten Willen zu vollziehen[7]. Er erinnerte sich kurz vor seinem Ende, daß er als Ihr Schuldner[8] sterbe, und beschwor[9] mich, diese Schuld mit der ersten Barschaft[10] zu tilgen[11]. Ich habe seine Equipage[12] verkauft und komme, seine Handschrift einzulösen[13].

Tellheim. Nicht doch[14], Madame! Marloff mir schuldig? Lassen Sie doch sehen. (Er zieht sein Taschenbuch[15] heraus und sucht.) Ich finde nichts.

Dame. Sie werden seine Handschrift verlegt[1] haben, und die Handschrift tut nichts zur Sache[2]. Erlauben Sie . . .

Tellheim. Nein, Madame, so etwas pflege ich nicht zu verlegen. Wenn ich sie nicht habe, so

[4] to pawn
[5] engagement-ring
[6] to pay his debts

[7] *sich halten an,* to stick to
[8] construction

[9] to permit himself

[10] abridged

[11] in mourning

[12] I beg your pardon, sir

[13] worthy

[14] former [15] staff captain
[1] *Die im Deutschen übliche Form der Anrede, wörtlich:* gracious lady; madam
[2] sickbed

[3] I must trouble you early (in the morning)

[4] what can I do for you?
[5] husband (*Höflichkeitsform*)

[6] stingy

[7] to carry out his last will
[8] debtor
[9] to implore
[10] cash [11] to liquidate
[12] equipment

[13] to redeem his promissory note
[14] surely not

[15] pocketbook, wallet

[1] to mislay
[2] doesn't matter, is not important

[3] to be accustomed

63

ist es ein Beweis[4], daß ich nie eine gehabt habe, oder daß sie getilgt und von mir schon zurückgegeben wurde . . . Ganz gewiß, gnädige Frau. Marloff ist mir nichts schuldig geblieben. Ich wüßte mich auch nicht zu erinnern, daß er mir jemals etwas schuldig gewesen wäre . . .

Dame. Ich verstehe Sie; verzeihen Sie nur, wenn ich noch nicht recht weiß, wie man Wohltaten[5] annehmen muß . . .

Tellheim. Reisen Sie glücklich, gnädige Frau! Ich bitte Sie nicht, mir Nachricht[6] von Ihnen zu geben[6]. Sie möchte mir zu einer Zeit kommen, wo ich sie nicht nutzen[7] könnte. Aber noch eins, gnädige Frau; bald[8] hätte ich das Wichtigste vergessen. Marloff hat noch an die Kasse unsers ehemaligen Regiments zu fordern[9]. Seine Forderungen sind so richtig[10] wie die meinen. Werden meine bezahlt, so müssen auch die seinigen bezahlt werden. Ich hafte dafür[11]—

Dame. O! mein Herr—Aber ich schweige[12] lieber.—Künftige[13] Wohltaten so vorbereiten[14], heißt[15] sie in den Augen des Himmels schon erwiesen[1] haben. Empfangen Sie seine[2] Belohnung[3] und meine Tränen. (Geht ab.)[4]

I. 7.

Tellheim. Armes, braves Weib! Ich darf nicht[5] vergessen, den Bettel[6] zu vernichten[7]. (Er nimmt aus seinem Taschenbuch Briefschaften[8], die er zerreißt[9].)

(Tellheim hat seinem Diener Just gekündigt[10] und ihm aufgetragen[11], seine Rechnung zu schreiben.)

I. 8.

(Just. v. Tellheim.)

Tellheim. Bist du[12] da?

Just (indem er sich die Augen wischt). Ja!

Tellheim. Du hast geweint?

Just. Ich habe in der Küche meine Rechnung geschrieben, und die Küche ist voll Rauch[13]. Hier ist sie, mein Herr! Ich hätte mir eher den Tod als meinen Abschied[14] vermutet[15].

Tellheim. Ich kann dich nicht länger brauchen; ich muß mich ohne Bedienten behelfen[1] lernen.

64

[4]proof

[5]kindness, charity

[6]to send news

[7]to use
[8]almost

[9]to claim
[10]correct

[11]I am responsible for this
[12]to be silent
[13]future [14]to prepare
[15]is
[1]to confer
[2]*nämlich des Himmels*
[3]reward
[4]*Frau Marloff versteht, daß Tellheim sie nur auf künftige Wohltaten vorbereiten will. Marloff hat gar keine Forderungen.*
[5]I must not [6]trash
[7]to destroy [8]papers
[9]to tear to pieces

[10]to give notice
[11]to order

[12]*Es war üblich, die Bedienten mit "du" anzureden, sie zu "duzen".*

[13]smoke

[14]discharge [15]to expect

[1]to get along

(Schlägt die Rechnung auf[2] und liest.) „Was der Herr Major mir schuldig: Drei und einen halben Monat Lohn[3], den Monat 6 Taler, macht 21 Taler. An Kleinigkeiten[4] ausgelegt[5]: 1 Taler 7 Groschen 9 Pfennig. Summa summarum 22 Taler 7 Groschen 9 Pfennig." Gut, und es ist billig[6], daß ich diesen laufenden[7] Monat ganz bezahle.

Just. Die andere Seite, Herr Major.

Tellheim. Noch mehr? (Liest.) „Was dem Herrn Major ich schuldig: An den Feldscher[8] für mich bezahlt 25 Taler. Für Pflege[9] während meiner Kur für mich bezahlt 39 Taler. Meinem abgebrannten[10] Vater auf meine Bitte vorgeschossen[11] 50 Taler. Summa summarum 114 Taler. Davon abgezogen[12] 22 Taler 7 Groschen 9 Pfennig. Bleibe dem Herrn Major schuldig 91 T. 16 Gr. 3 Pf."—Kerl[13], du bist toll[14].

Just. Ich glaube es gern[15], daß ich Ihnen weit mehr koste. Aber es wäre verlorne Tinte, es dazu zu schreiben. Ich kann Ihnen das nicht bezahlen . . .

Tellheim. Wofür siehst du mich an?[1] Du bist mir nichts schuldig, und ich will dich einem von meinen Bekannten[2] empfehlen, bei dem du es besser haben wirst[3] als bei mir.

Just. Ich bin Ihnen nichts schuldig, und doch wollen Sie mich verstoßen?[4]

Tellheim. Weil ich dir nichts schuldig werden will.

Just. Machen Sie, was Sie wollen, Herr Major; ich bleibe bei Ihnen . . . Vorigen Winter ging ich in der Dämmerung[5] an dem Kanale und hörte etwas winseln[6]. Ich stieg hinab und griff[7] nach der Stimme und glaubte ein Kind zu retten, und zog einen Pudel aus dem Wasser. Auch gut[8], dachte ich. Der Pudel kam mir nach: aber ich bin kein Liebhaber[9] von Pudeln. Ich jagte ihn fort[10], umsonst; ich prügelte[11] ihn von mir, umsonst. Ich ließ ihn des Nachts nicht in meine Kammer[12]; er blieb auf der Schwelle[13]. Wo er mir zu nahe kam, stieß[14] ich ihn mit dem Fuße; er schrie, sah mich an und wedelte[15] mit dem Schwanze[1]. Noch hat er keinen Bissen Brot aus

[2]*aufschlagen,* to open

[3]wages
[4]trifles
[5]to expend, lay out

[6]fair   [7]current

[8]army surgeon
[9]nursing

[10]*abbrennen,* to burn out
[11]*vorschießen,* to advance
[12]*abziehen,* to deduct

[13]boy

[14]crazy

[15]I know it

[1]what do you take me for?

[2]acquaintance
[3]to be better off

[4]to cast off

[5]twilight
[6]to whine [7]to seize, grasp

[8]good enough
[9]I do not like poodles
[10]to drive away
[11]to whip

[12]room   [13]threshold
[14]*stoßen,* to kick
[15]to wag
[1]tail

meiner Hand bekommen; und doch bin ich der
einzige, auf den er hört, und der ihn anrühren[2]
darf. Er ist ein häßlicher[3] Pudel, aber ein gar
zu guter Hund.

2to touch
3ugly

Tellheim. Just, wir bleiben beisammen.

Just. Ganz gewiß!—Sie wollten sich ohne
Bedienten behelfen[4]? Sie vergessen Ihre Bles=
suren[5], und daß Sie nur eines Armes mächtig[6]
sind. Sie können sich ja nicht allein anklei=
den. Ich bin Ihnen unentbehrlich[7] und ich
bin ein Bedienter, der für seinen Herrn betteln[8]
und stehlen kann.

4to do without
5wounds
6be master of.—*Tellheims
linker Arm ist gelähmt*
(paralyzed)
7indispensable
8to beg

Tellheim. Just, wir bleiben nicht beisammen.

Just. Schon gut[9].

9all right

(Im zweiten Aufzug lernen wir Minna von
Barnhelm kennen. Da sie von ihrem Bräutigam so lange nichts gehört hat, ist sie mit
ihrer Kammerzofe[10] und ihrem Onkel, dem
Grafen von Bruchsall, dessen Erbin sie ist,
nach Berlin gefahren, um ihn zu suchen.
Auf dem Wege hatte der Wagen des Grafen
einen Unfall[11], und Minna fuhr mit Franziska voraus. Sie ist unbewußt[12] die Ur-
sache, daß Tellheim seine Zimmer räumen[13]
mußte.)

10maid

11accident
12unwittingly
13to vacate

II. 1.

(Die Szene ist in dem Zimmer des Fräuleins.
Minna von Barnhelm. Franziska.)

Minna. Franziska, wir sind sehr früh auf=
gestanden. Die Zeit wird uns lang werden.

Franziska. Wer kann in den verzweifelten[14]
großen Städten schlafen? Die Karossen[15], die
Nachtwächter, die Trommeln, die Katzen, die Kor=
porale—das hört nicht auf zu rasseln[1], zu schrei=
en, zu wirbeln[2], zu miauen, zu fluchen[3], gerade,
als ob die Nacht zu nichts weniger wäre als zur
Ruhe.[4]—Eine Tasse Tee, gnädiges Fräulein?

14desperate
15carriage

1to rattle
2to beat   3to curse

4as if the night were for
anything but for rest
5I don't like the tea

Minna. Der Tee schmeckt mir nicht[5].

Franziska. Ich will von unserer Schokolade
machen lassen[6].

6to have made

Minna. Laß machen, für dich!

Franziska. Für mich? Ich wollte eben so
gern[7] für mich allein plaudern[8] als für mich
trinken. — Freilich wird uns die Zeit so lang

7I would just as soon ...
8to chat

66

werden. — Wir werden vor langer⁹ Weile⁹ uns
putzen¹⁰ müssen und das Kleid versuchen, in
welchem wir den ersten Sturm¹¹ geben wollen.

Minna. Was redest du von Stürmen, da ich
bloß herkomme, die Haltung der Kapitulation
zu fordern¹² . . ?

Franziska. Und der Herr Offizier, den wir
vertrieben¹³ und dem wir das Kompliment darüber
haben machen lassen¹⁴, er muß auch nicht die
feinste Lebensart¹⁵ haben, sonst hätte er wohl
um die Ehre können bitten lassen, uns seine
Aufwartung¹ machen zu dürfen.

Minna. Es sind nicht alle Offiziere Tellheims.
. . . Franziska, mein Herz sagt es mir, daß
meine Reise glücklich sein wird, daß ich ihn finden
werde.

Franziska. Das Herz, gnädiges Fräulein?
Man traue doch ja seinem Herzen nicht zu viel.
Das Herz redet uns gewaltig gern nach dem
Maule². Wenn das Maul eben so geneigt³ wäre,
nach dem Herzen zu reden, so wäre die Mode⁴
längst aufgekommen, die Mäuler unterm Schlosse⁵
zu tragen.

Minna. Ha! ha! mit deinen Mäulern unterm Schlosse! Die Mode wäre mir eben recht!⁶

Franziska. Lieber die schönsten Zähne nicht
gezeigt, als alle Augenblicke das Herz darüber
springen lassen.

Minna. Was? Bist du so zurückhaltend⁷?

Franziska. Nein, gnädiges Fräulein; sondern ich wollte es gern mehr sein. Man spricht
selten von der Tugend⁸, die man hat, aber desto
öfter von der, die uns fehlt.

Minna. Siehst du, Franziska, da. hast du
eine sehr gute Anmerkung⁹ gemacht.

Franziska. Gemacht? Macht man das, was
einem so einfällt¹⁰?

Minna. Und weißt du, warum ich eigentlich¹¹
diese Anmerkung so gut finde? Sie hat viel
Beziehung¹² auf meinen Tellheim.

Franziska. Was hätte bei Ihnen nicht auch
Beziehung auf ihn¹³?

Minna. Freund und Feind sagen, daß er der
tapferste Mann von der Welt ist. Aber wer

---

⁹boredom

¹⁰to dress up

¹¹attack

¹²to demand the keeping
of the capitulation

¹³to dislodge

¹⁴to send one's respects

¹⁵manner of living

¹visit

²*jemandem nach dem
Maule reden*, to flatter
one (by speaking as he
would)   ³inclined

⁴fashion

⁵lock

⁶would suit me

⁷reserved, uncommunica-
tive

⁸virtue

⁹remark

¹⁰to occur

¹¹actually

¹²reference

¹³What for you would not
have reference to him?

hat ihn von Tapferkeit jemals reden hören? Er hat das rechtschaffenste[14] Herz, aber Rechtschaffenheit und Edelmut[15] sind Worte, die er nie auf die Zunge bringt.

Franziska. Von was für Tugenden spricht er denn?

Minna. Er spricht von keiner; denn ihm fehlt keine.

Franziska. Das wollte ich nur hören.

Minna. Warte, Franziska, ich besinne mich[1]. Er spricht oft von Ökonomie[2]. Im Vertrauen[3], Franziska, ich glaube, der Mann ist ein Verschwender[4].

Franziska. Noch eins, gnädiges Fräulein. Ich habe ihn auch sehr oft der Treue[5] und Beständigkeit[6] gegen Sie erwähnen[7] hören. Wie, wenn der Herr auch ein Flattergeist[8] wäre?

Minna. Meinst du das im Ernst, Franziska?

Franziska. Wie lange hat er Ihnen nicht geschrieben?

Minna. Ach! seit dem Frieden hat er mir nur ein einziges Mal geschrieben.

Franziska. Auch ein Seufzer wider den Frieden![9] Umsonst gehen die Posten[10] wieder richtig; niemand schreibt; denn niemand hat etwas zu schreiben.

Minna. Es ist Friede, schrieb er mir, und ich nähere mich der Erfüllung meiner Wünsche. Aber daß er mir dieses nur einmal, nur ein einziges Mal geschrieben —

Franziska. Daß er uns zwingt, dieser Erfüllung der Wünsche selbst entgegen zu eilen[11] ..; finden wir ihn nur, das soll er uns entgelten[12]! — Wenn indes[13] der Mann doch Wünsche erfüllt hätte, und wir erführen[14] hier— ·

Minna (ängstlich[15]). Daß er tot wäre?

Franziska. Für Sie, gnädiges Fräulein, in den Armen einer andern —

Minna. Du Quälgeist[1]! Warte, Franziska, er soll dir es gedenken[2]! ... Wer weiß, welche Umstände — — Es pocht[3] jemand.

(Der Wirt tritt ein. Er zeigt Minna den versetzten Ring. Sie erkennt in ihm den

[14]honest
[15]generosity

[1]to recall
[2]economy [3]confidence
[4]spendthrift

[5]fidelity
[6]constancy [7]to mention
[8]philanderer

[9]another sigh against peace
[10]plural *von "die Post"; jetzt ungebräuchlich* (obsolete)

[11]to hasten

[12]he shall suffer for this
[13]however
[14]would find out
[15]uneasy

[1]tormenter
[2]Just you wait! he shall make you pay for that.
[3]to knock

Verlobungsring, den sie Tellheim gegeben
hat. Der Wirt wird beauftragt, den Major
zu holen.)

II. 8.

(Minna. Franziska. Tellheim. Der Wirt.)

Tellheim (tritt herein, und indem er sie erblickt, fliegt er auf sie zu). Ah! meine Minna!—

Minna (ihm entgegenfliegend). Ah! mein
Tellheim! —

Tellheim (stutzt[4] auf einmal und tritt wieder
zurück). Verzeihen Sie, gnädiges Fräulein, das
Fräulein von Barnhelm hier zu finden —

Minna. Kann Ihnen doch so gar[5] unerwartet[6]
nicht sein? — (Indem sie näher tritt und er
mehr zurückweicht[7].) Ich soll Ihnen verzeihen,
daß ich noch Ihre Minna bin? Verzeih Ihnen
der Himmel, daß ich noch das Fräulein von
Barnhelm bin! —

Tellheim. Gnädiges Fräulein — (Sieht auf
den Wirt und zuckt die Schultern[8].)

Minna. Mein Herr, — (Winkt[9] der Franziska).

Tellheim. Wenn wir uns beiderseits[10] nicht
irren[11] —

(Der neugierige[12] Wirt wird von Franziska hinausgebracht[13].)

II. 9.

(Stark verkürzt)

(Tellheim. Minna.)

Minna. Nun? Irren wir uns noch?

Tellheim. Daß es der Himmel wollte! —
Aber es gibt nur eine, und Sie sind es. — Was
suchen Sie hier, gnädiges Fräulein?

Minna. Nichts suche ich mehr. (Mit offe-
nen Armen auf ihn zugehend.) Alles, was ich
suche, habe ich gefunden.

Tellheim. Sie suchten einen glücklichen, einen
Ihrer Liebe würdigen Mann, und finden —
einen Elenden[14].

Minna. So lieben Sie mich nicht mehr? —
und lieben eine andere?

Tellheim. Ah! der hat Sie nie geliebt, mein

[4]to stop short

[5]entirely [6]unexpected

[7]to draw back

[8]to shrug one's shoulders
[9]to make a sign

[10]mutually
[11]to be mistaken

[12]curious
[13]show out

[14]miserable

69

Fräulein, der eine andere nach Ihnen lieben
kann.

Minna. Sie lieben mich nicht mehr und lie=
ben auch keine andere? — Unglücklicher Mann,
wenn Sie gar nichts lieben! —

Tellheim. Recht, gnädiges Fräulein; der
Unglückliche muß gar nichts lieben.

Minna. Wollen Sie mir die einzige Frage
beantworten?

Tellheim. Jede, mein Fräulein —

Minna. Mit nichts als mit einem trockenen[15]
Ja oder Nein?

Tellheim. Ich will es, wenn ich kann.

Minna. Sie können es. — Lieben Sie mich
noch, Tellheim?

Tellheim. Mein Fräulein, diese Frage —

Minna. Sie haben versprochen, mit nichts
als Ja oder Nein zu antworten.

Tellheim. Und hinzugesetzt[1]: wenn ich kann.

Minna. Sie können; Sie müssen wissen,
was in Ihrem Herzen vorgeht[2]. — Lieben Sie
mich noch, Tellheim? — Ja oder Nein.

Tellheim. Nun, ja.

Minna. Ja?

Tellheim. Ja, Ja!! — Allein[3] —

Minna. Geduld![4] — Sie lieben mich noch
und haben Ihre Minna noch, und sind unglück=
lich? Hören Sie doch, was Ihre Minna für ein
eingebildetes[5], albernes[6] Ding war,—ist. Sie ließ,
sie läßt sich träumen[7], Ihr ganzes Glück sei sie.
— Geschwind[8], kramen Sie Ihr Unglück aus[9].
Sie mag versuchen, wie viel sie dessen aufwiegt[10].

Tellheim. Mein Fräulein, ich bin nicht ge=
wohnt[11] zu klagen[12].

Minna. Ganz geschwiegen oder ganz mit der
Sprache heraus. —

Tellheim. Wohl denn[13]; so hören Sie, mein
Fräulein. — Sie nennen mich Tellheim; der
Name trifft zu[14]. Aber Sie meinen, ich sei der
Tellheim, den Sie gekannt haben, der blühende
Mann, voller Ruhmbegierde[15], der seines ganzen
Körpers, seiner ganzen Seele mächtig war, der
Ihres Herzens und Ihrer Hand, wenn er schon
ihrer nicht würdig war, täglich würdiger zu wer=
den hoffen durfte[1]. — Dieser Tellheim bin ich

70

[15]plain

[1]to add

[2]to take place, happen

[3]but

[4]wait a moment!

[5]conceited [6]foolish

[7]she dreamt, she dreams

[8]quick [9]to lay out

[10]to outweigh, compensate

[11]accustomed

[12]to complain

[13]well then

[14]is correct

[15]love of fame

[1]who, if he was not worthy of your heart and
hand, could still hope to
become from day to
day more worthy of
them.

ebensowenig², — als ich mein Vater bin. — Beide sind gewesen. — Ich bin Tellheim der verabschiedete³, der an seiner Ehre gekränkte⁴, der Krüppel⁵, der Bettler⁶. — Jenem⁷, mein Fräulein, versprachen Sie sich: wollen Sie diesem Wort halten?

Minna. Das klingt sehr tragisch! — Doch, mein Herr, bis ich jenen wiederfinde, — in die Tellheims bin ich nun einmal vernarrt⁸, — dieser wird mir schon aus der Not helfen müssen. — Deine Hand, lieber Bettler! (Indem sie ihn bei der Hand ergreift.)

Tellheim. Das ist zuviel! Wo bin ich? — Lassen Sie mich, Fräulein! Ihre Güte foltert⁹ mich — Lassen Sie mich! —

Minna. Was ist Ihnen? Wo wollen Sie hin?

Tellheim. Von Ihnen¹⁰. Sie nie, nie wieder zu sehen. — Oder doch so entschlossen¹¹, so fest entschlossen, — keine Niederträchtigkeit¹² zu begehen¹³, Sie keine Unbesonnenheit¹⁴ begehen zu lassen. — Lassen Sie mich, Minna! (Reißt sich los¹⁵ und ab.)

Minna. Minna Sie lassen? Tellheim!

(Auch in einer zweiten Unterredung¹ hält Tellheim hartnäckig² an seinem Standpunkt fest. Er kann Minna nicht heiraten, da er ehrlos, arm und ein Krüppel ist. Da greift Minna zu einer List³.)

IV. 6. (Schluß)

Tellheim. . . . Das Fräulein von Barnhelm verdient⁴ einen unbescholtenen⁵ Mann. Es ist eine nichtswürdige⁶ Liebe, die kein Bedenken trägt⁷, ihren Gegenstand⁸ der Verachtung⁹ auszusetzen¹⁰. Es ist ein nichtswürdiger Mann, der sich nicht schämt, sein ganzes Glück einem Frauenzimmer¹¹ zu verdanken¹², dessen blinde Zärtlichkeit¹³—

Minna. Und das ist Ihr Ernst, Herr Major? (Indem sie ihm plötzlich den Rücken wendet.)

Tellheim. Sie sind ungehalten¹⁴, mein Fräulein —

²just as little

³discharged ⁴dishonored

⁵cripple ⁶beggar

⁷the former

⁸I cannot help being crazy about the Tellheims

⁹to torture

¹⁰away from you

¹¹resolved

¹²baseness

¹³to commit ¹⁴imprudence

¹⁵to disengage oneself

¹conversation

²stubborn

³has recourse to a trick

⁴to deserve

⁵irreproachable

⁶contemptible

⁷to have no scruples

⁸object ⁹contempt

¹⁰to expose

¹¹woman ¹²to owe

¹³affection

¹⁴indignant, angry

Minna (höhnisch[15]). Ich? Nicht im gering=
sten[1].

Tellheim. Wenn ich Sie weniger liebte, mein
Fräulein . . .

Minna. O gewiß, es wäre mein Unglück! —
Und sehen Sie, Herr Major, ich will Ihr Unglück
auch nicht. Man muß ganz uneigennützig[2] lie=
ben. (Indem sie den Ring langsam vom Fin=
ger zieht.) — Hier! Nehmen Sie den Ring wie=
der zurück, mit dem Sie mir Ihre Treue ver=
pflichtet[3]. Wir wollen einander nicht gekannt
haben.

Tellheim. Was höre ich?

Minna. Und das befremdet[4] Sie? — Neh=
men Sie, mein Herr. — Sie haben sich doch wohl
nicht bloß geziert[5]?

Tellheim (indem er den Ring nimmt). Gott!
So kann Minna sprechen?

Minna. Sie können der Meinige in einem
Falle nicht sein; ich kann die Ihrige in keinem
sein. Ihr Unglück ist wahrscheinlich[6]; meines
ist gewiß. — Leben Sie wohl[7]! (Will fort.)

Tellheim. Wohin, liebste Minna?

Minna. Mein Herr, Sie beschimpfen[8] mich
jetzt mit dieser vertraulichen[9] Benennung.

Tellheim. Wohin?

Minna. Lassen Sie mich. — Meine Tränen
vor Ihnen zu verbergen[10], Verräter[11]! (Geht ab.)

IV. 7.

(Tellheim. Franziska.)

Tellheim. Ihre Tränen? Und ich sollte sie
lassen? (Will ihr nach.)

Franziska (die ihn zurückhält[12]). Nicht doch,
Herr Major! Sie werden ihr ja[13] nicht in ihr
Schlafzimmer folgen wollen?

Tellheim. Ihr Unglück? Sprach sie nicht
von Unglück?

Franziska. Nun freilich[14]! Das Unglück, Sie
zu verlieren, nachdem . . .

Tellheim. Nachdem? Was nachdem? Hier=
hinter[15] steckt mehr. Was ist es, Franziska?
Rede, sprich—

Franziska. Nachdem sie, wollte ich sagen, —
Ihnen so vieles aufgeopfert[1].

72

[15]sarcastically
[1]not in the least

[2]unselfish

[3]to bind

[4]to surprise

[5]pretend

[6]probable
[7]good-bye

[8]to insult
[9]familiar

[10]to conceal   [11]deserter

[12]to keep back
[13]I suppose

[14]sure

[15]behind this

[1]to sacrifice

Tellheim. Mir aufgeopfert?

Franziska. Hören Sie nur kurz². — Es ist —für Sie recht gut, Herr Major, daß Sie auf diese Art von ihr losgekommen³ sind. — Warum soll ich es Ihnen nicht sagen? Es kann doch länger kein Geheimnis⁴ bleiben. — Wir sind entflohen⁵! — Der Graf von Bruchsall hat das Fräulein enterbt⁶, weil sie keinen Mann von seiner Hand annehmen⁷ wollte. Alles verließ⁸, alles verachtete sie darauf. Was sollten wir tun? Wir entschlossen uns, denjenigen auf= zusuchen⁹, dem wir —

Tellheim. Ich habe genug. — Komm, ich muß mich zu ihren Füßen werfen.

Franziska. Was denken Sie? Gehen Sie lieber und danken Sie Ihrem guten Geschicke⁹ᵃ —

Tellheim. Elende¹⁰! Für wen hältst du mich?

Franziska. Halten Sie mich nicht länger auf¹¹ Ich muß sehen, was sie' macht¹². Wie leicht könnte ihr etwas zugestoßen¹³ sein . . . Kommen Sie lieber wieder, wenn Sie wieder kommen wollen (Ab.)

(Tellheim ist nun völlig verwandelt¹⁴. Da Minna sich weigert¹⁵, ihn zu empfangen¹, wartet er auf sie in der Halle.)

V. 5.
(Minna. Franziska. Tellheim.)

Minna (im Heraustreten², als ob sie den Major nicht sehen würde). Der Wagen ist doch vor der Türe, Franziska?

Tellheim (auf sie zu). Wohin, mein Fräulein?

Minna (mit einer affektierten Kälte). Aus³, Herr Major. — Ich errate⁴, warum Sie sich noch= mals herbemüht⁵ haben: mir auch meinen Ring wieder zurückzugeben. — Wohl, Herr Major, haben Sie die Güte, ihn der Franziska einzu= händigen⁶.

Tellheim. Mein Fräulein! — Ah, was habe ich erfahren, mein Fräulein! Ich war so vieler Liebe nicht wert.

Minna. So, Franziska? Du hast dem Herrn Major —

²in short

³to get rid of

⁴secret
⁵*entfliehen*, to run away
⁶to disinherit
⁷to accept, consider
⁸*verlassen*, to abandon

⁹to look up

⁹ᵃfate, fortune
¹⁰wretch!

¹¹*aufhalten*, to stop
¹²how she is
¹³*zustoßen*, to happen

¹⁴to change
¹⁵to refuse
¹to receive, see

²coming out

³I am going out
⁴to guess
⁵take the trouble to come

⁶to hand to

73

Franziska. Alles entdeckt.[7]

Tellheim. Zürnen[8] Sie mir nicht, mein Fräulein. Ich bin kein Verräter. Sie haben in den Augen der Welt viel verloren, aber nicht in den meinen. In meinen Augen haben Sie unendlich[9] durch diesen Verlust gewonnen.

Minna. Alles recht gut, Herr Major! Aber es ist nun einmal geschehen. Sie haben durch die Zurücknehmung[10] des Ringes —

Tellheim. In nichts gewilligt[11]! Vielmehr[12] halte ich mich jetzt für gebundener als jemals Sie sind die Meinige, Minna, auf ewig die Meinige. (Zieht den Ring heraus.)

Minna. Ich diesen Ring wiedernehmen?

Tellheim. Ja, liebste Minna, ja!

Minna. Was muten Sie mir zu[13]? Diesen Ring?

Tellheim. Gleichheit ist immer das festeste Band der Liebe.—Erlauben Sie, liebste Minna! (Ergreift ihre Hand, um ihr den Ring anzustecken[14].)

Minna. Wie? mit Gewalt, Herr Major? — Nein, da ist keine Gewalt in der Welt, die mich zwingen soll, diesen Ring wieder anzunehmen!

Tellheim. Was ist das? — Ich sehe das Fräulein von Barnhelm, aber ich höre es nicht.— Sie zieren sich, mein Fräulein. — Vergeben Sie, daß ich Ihnen dieses Wort nachbrauche[15].

Minna (in ihrem wahren Tone). Hat Sie dieses Wort beleidigt[1]?

Tellheim. Es hat mir weh getan[2].

Minna (gerührt[3]). Das sollte es nicht, Tellheim. Verzeihen Sie mir, Tellheim.

Tellheim. Ha, dieser vertrauliche[4] Ton sagt mir, daß Sie wieder zu sich kommen[5], mein Fräulein, daß Sie mich noch lieben, Minna —

Franziska (herausplatzend[6]). Bald wäre der Spaß[7] auch zu weit gegangen[8].

Minna (streng). Ohne dich in unser Spiel zu mengen[9], Franziska, wenn ich bitten darf[10]!

Franziska (betroffen[11]). Noch nicht genug?

Minna. Ja, mein Herr, es wäre weibliche Eitelkeit[12], mich kalt und höhnisch[13] zu stellen[14]. Ich liebe Sie noch, Tellheim, ich liebe Sie noch; aber demungeachtet[15] —

74

[7]to disclose, reveal
[8]to be angry at

[9]infinite

[10]taking back
[11]*einwilligen,* to agree, consent
[12]rather

[13]*jemandem etwas zumuten,* to expect a thing of a person

[14]put on. *Tellheim weiß noch nicht, daß Minna ihm seinen eigenen, verpfändeten Ring zurückgegeben hat.*

[15]use after

[1]to offend

[2]to hurt

[3]touched

[4]intimate, familiar
[5]to recover one's senses

[6]to blurt out
[7]joke
[8]*das geht zu weit,* that goes too far

[9]to interfere [10]if you please
[11]confused

[12]vanity   [13]cynic
[14]to pretend to be, act

[15]notwithstanding

Tellheim. Nicht weiter, liebfte Minna, nicht weiter! (Ergreift ihre Hand nochmals, um ihr den Ring anzuftecken.)

Minna. Demungeachtet, — um fo viel mehr werde ich diefes nimmermehr gefchehen laffen. (Zieht ihre Hand zurück.) — Wo denken Sie hin, Herr Major? Ich meinte, Sie hätten an Ihrem eigenen Unglück genug. —

(In diefem Augenblick kommt eine Or-
donnanz mit einem königlichen Handfchrei-
ben. Tellheims Angelegenheit ist vollftän-
dig zu feinen Gunften[16] entfchieden.)

[16]in his favor

V. 9

(**Tellheim. Minna. Franziska.**)

Minna (lefend). „ . . . Meldet[1] mir, ob Eure Gefundheit Euch erlaubt, wieder Dienfte zu nehmen . . ."

[1]to report

Tellheim. Nun, was fagen Sie hierzu, mein Fräulein?

Minna (den Brief zurückgebend). Ich? Nichts.

Tellheim. Nichts?

Minna. Doch ja: daß Ihr König, der ein großer Mann ift, auch wohl ein guter Mann fein mag. — Aber was geht das mich an[2]? Er ift nicht mein König.

[2]*angehen,* to concern

Tellheim. Und fonft fagen Sie nichts? Nichts in Rückficht[3] auf uns felbft?

[3]in regard to

Minna. Sie treten wieder in feine Dienfte, der Herr Major wird Oberftleutnant, Oberft vielleicht. Ich gratuliere von Herzen.

Tellheim. Und Sie kennen mich nicht beffer? — Nein, Ihrem Dienfte allein fei mein ganzes Leben gewidmet[4]! — Morgen verbinde uns das heiligfte Band; und dann wollen wir in der ganzen weiten Welt den ftillften, heiterften, la=chendften Winkel[5] fuchen, dem zum Paradiefe nichts fehlt als ein glückliches Paar. Da wollen wir wohnen . . . Was ift Ihnen, mein Fräulein?

[4]to devote

[5]corner

Minna (fucht ihre Rührung[6] zu verbergen). Sie find fehr graufam[7], Tellheim, mir ein Glück fo reizend[8] darzuftellen, dem ich entfagen[9] muß. Mein Verluft—

[6]emotion

[7]cruel

[8]charming [9]to renounce

Tellheim. Ihr Verluft? Alles, was Minna

75

verlieren könnte, ist nicht Minna. Sie sind noch das süßeste, lieblichste, holdseligste, beste Geschöpf unter der Sonne, ganz Güte und Großmut[10], ganz Unschuld[11] und Freude! — Dann und wann[12] ein kleiner Mutwille[13], hier und da ein wenig Eigensinn[14] — Desto besser! Minna wäre sonst[15] ein Engel, den ich mit Schaudern[1] verehren[2] müßte, den ich nicht lieben könnte. (Ergreift ihre Hand, sie zu küssen.)

Minna. Nicht so, mein Herr! Wie auf einmal so verändert? — Ist dieser schmeichelnde[3], stürmische[4] Liebhaber der kalte Tellheim? Er erlaube mir, daß ich für uns beide Überlegung[5] behalte. — Als er selbst überlegen konnte, hörte ich ihn sagen: es sei eine nichtswürdige Liebe, die kein Bedenken trage, ihren Gegenstand der Verachtung auszusetzen. Recht; aber ich bestrebe[6] mich einer eben so reinen Liebe als er.... Kurz, hören Sie also, Tellheim, was ich fest beschlossen, wovon mich nichts in der Welt abbringen soll: So gewiß ich Ihnen den Ring zurückgegeben, mit welchem Sie mir ehemals Ihre Treue verpflichtet, so gewiß Sie diesen nämlichen Ring zurückgenommen, so gewiß soll die unglückliche Barnhelm die Gattin des glücklichen Tellheim nie werden[7]. Gleichheit ist allein das feste Band der Liebe.... Es ist eine nichtswürdige Kreatur, die sich nicht schämt, ihr ganzes Glück der blinden Zärtlichkeit eines Mannes zu verdanken!

Tellheim. Falsch, grundfalsch![8]

(Tellheim hatte Just beauftragt, den versetzten Ring vom Wirt wieder einzulösen. Nun kommt Just zurück und meldet, daß der Wirt den Ring nicht mehr habe; das Fräulein habe ihn genommen. Tellheim, der nicht erkennt, daß er ja den richtigen Ring an seinem Finger hat, glaubt nun, Minna·sei nur gekommen, um mit ihm zu brechen und habe sich hinterlistig[9] in den Besitz ihres Ringes gesetzt. Er will von keiner Erklärung wissen, und die Liebenden scheinen ganz auseinander[10] zu sein. Da wird gemeldet, daß der Graf eben angekommen sei.)

76

[10]generosity [11]innocence
[12]now and then
[13]frolicsomeness, naughtiness
[14]obstinacy
[15]otherwise [1]shudder
[2]adore

[3]flattering
[4]stormy, impetuous
[5]reason, common sense

[6]endeavor

[7]*Anklang an Portias Eid*

[8]fundamentally wrong

[9]by trickery

[10]asunder, through

V. 12.

Tellheim (auf einmal zu sich selbst kom=
mend). Wer? wer kommt? Ihr Onkel, Fräu=
lein? dieser grausame Onkel? Lassen Sie ihn
nur kommen! Fürchten Sie nichts! Er soll
Sie mit keinem Blicke beleidigen! Er hat es mit
mir zu tun! — Zwar verdienen Sie es um mich
nicht —

Minna. Geschwind, umarmen[11] Sie mich,   [11]embrace
Tellheim, und vergessen Sie alles —

Tellheim. Wenn ich wüßte, daß Sie es be=
reuen[12] könnten!   [12]regret

Minna. Nein, ich kann es nicht bereuen, mir   [13]sight   [14]procure
den Anblick[13] Ihres ganzen Herzens verschafft[14] zu
haben . . . Und nun ihm entgegen![15]   [15]to meet him

   Tellheim. Wem entgegen?

Minna. Dem besten Ihrer unbekannten
Freunde.

   Tellheim. Wie?

Minna. Dem Grafen, meinem Onkel, mei=
nem Vater, Ihrem Vater. — Hören Sie denn
nicht, daß alles erdichtet[1] ist? Leichtgläubiger[2]   [1]invent   [2]credulous
Ritter!

Tellheim. Erdichtet? Aber der Ring? Der
Ring?

Minna. O über die Blinden, die nicht sehen
wollen! Welcher Ring ist es denn? . . . Soll
ich ihn nun wiedernehmen? Geben Sie her!
(Reißt ihn ihm aus der Hand und steckt ihn ihm
selbst an den Finger.) Nun? Ist alles richtig?

Tellheim (ihre Hand küssend). O, bos=   [3]malicious   [4]torment
hafter[3] Engel! Mich so zu quälen[4]!

Minna. Dieses zur Probe[5], mein lieber Ge=   [5]trial, sample
mahl, daß Sie mir nie einen Streich spielen
sollen, ohne daß ich ihnen nicht gleich darauf wie=
der einen spiele. Denken Sie, daß Sie mich nicht
auch gequält hatten?

Tellheim. O Komödiantinnen, ich hätte euch
kennen sollen.

V. 13.

Der Graf. Da bin ich, liebe Minna! Aber
was, Mädchen? Vierundzwanzig Stunden erst
hier und schon Bekanntschaft?

Minna. Raten Sie, wer es ist?

Graf. Doch nicht dein Tellheim?

Minna. Wer sonst als er?

Graf. Mein Herr, wir haben uns nie ge=
sehen; aber bei dem ersten Anblick glaubte ich
Sie zu erkennen. Ich wünschte, daß Sie es sein
möchten. Umarmen Sie mich. Sie haben meine
völlige Hochachtung[6]. Ich bitte um Ihre Freund=
schaft. — Meine Nichte, meine Tochter liebt Sie.

Minna. Das wissen Sie, mein Vater! Und
ist sie blind, meine Liebe?

Graf. Nein, Minna, deine Liebe ist nicht
blind; aber dein Liebhaber — ist stumm.

Tellheim (sich ihm in die Arme werfend).
Lassen Sie mich zu mir selber kommen, mein
Vater!

Graf. So recht, mein Sohn! Wenn dein
Mund nicht plaudern kann, so kann dein Herz doch
reden. Ich bin sonst den Offizieren von dieser
Farbe (auf Tellheims Uniform weisend) eben
nicht gut[7]. Doch Sie sind ein ehrlicher[8] Mann,
Tellheim, und ein ehrlicher Mann mag stecken in
welchem Kleide er will, man muß ihn lieben.

Minna. O, wenn Sie alles wüßten!

Graf. Was hindert's[9], daß ich nicht alles er=
fahre?

Man hat manchmal gesagt, daß "Minna
von Barnhelm" für ein Lustspiel zu wenig
lustig ist. Das Stück ist allerdings kein
Schwank[10] mit Witzen[11] und komischen Situationen, über die man sich krank lachen[12]
kann. Es ist das erste und das typische
deutsche Lustspiel, das sich von der englischen und von der französischen Komödie
wesentlich[13] unterscheidet. Shakespeares
Komödien sind romantisch, märchenhaft[14],
voll von Abenteuern, heiteren Verwechslun-
gen[15], oft von genialer Ausgelassenheit[1];
Molières Charakterkomödie verspottet
Schwächen[2] der Menschen. Das deutsche
Lustspiel behandelt ein ernstes Motiv, das
ebenso gut Anlaß[3] zu einer Tragödie geben
könnte. Ernste Menschen geraten[4] durch
ihren Charakter und durch die Ereignisse[5]
in Konflikte, die schwer zu lösen[6] sind.

[6]esteem, respect

[7]I do not like. *Der Graf
ist ein Sachse und daher
den Preußen feindlich
gesinnt.* [8]honest

[9]to prevent

[10]farce [11]joke
[12]to shriek with laughter

[13]essentially

[14]fabulous

[15]mistake, confusion
[1]hilarity

[2]weakness

[3]occasion

[4]get into

[5]event

[6]solve

78

Doch über dem ganzen Stück schwebt die heitere, optimistische Lebensauffassung[7] des Dichters, und vom ersten Augenblick an sind wir sicher, daß das Ende gut sein wird. Das Publikum lacht nicht oft, aber es lächelt[8] durch das ganze Stück.

Lessings *Dialog* ist ausgezeichnet[9]. Er ist das, was ich einen "Zipp-Dialog" nenne. Die Reden fügen sich in einander[10] wie die Zähne[11] eines Zippverschlusses und dabei tragen[12] sie mit jedem Schritt die Handlung vorwärts.[12].

Ebenso bewundernswert[13] ist

Der Aufbau[14].

Lessing hält sich an die Regeln des Aristoteles, die von dem griechischen Drama abgeleitet[15] sind. Es hat sich gezeigt[1], daß diese Regeln im wesentlichen für alle Zeiten und alle Nationen gelten[2], da die Bedingungen des Theaters und die Publikumspsychologie immer und überall die gleichen sind. Auch ein Gebäude[3] oder eine Brücke muß überall nach den gleichen Gesetzen der Statik gebaut werden.

Die ersten Szenen in jedem Drama bilden die *Exposition*. Wir erfahren die Umstände[4], die wir kennen müssen, um die Handlung[5] zu verstehen. Dann kommt ein Ereignis, das die Handlung in Schwung bringt[6], *das erregende Moment*[7]. In mehreren Stufen[8] führt *die steigende Handlung*[9] zur Höhe[10]. · Hier ist die Verwicklung[11] am stärksten. Aber *der Umschwung*[12] ist nicht fern; in einer Tragödie schwingt[13] die Handlung zum Schlechten, in einer Komödie zum Guten um[13]. Wieder führt *die fallende Handlung*[14] in mehreren Stufen zur *Katastrophe* oder zur *Lösung*[15]. Kurz vor dem Ende haben wir gewöhnlich noch eine Überraschung[1], im Trauerspiel eine neue Hoffnung, im Lustspiel ein neues Hindernis[2]; das Ende wird dadurch noch eindringlicher[3]. Dieser Punkt heißt das *Moment der letzten Spannung*[4].

[7] outlook on life
[8] to smile
[9] excellent
[10] gear together
[11] cog
[12] to carry on, forward
[13] admirable
[14] construction
[15] to derive   [1] it appears
[2] to be valid, hold
[3] building
[4] condition
[5] action, plot
[6] to set going
[7] the initial impulse
[8] degrees
[9] ascending action
[10] climax   [11] complications
[12] crisis
[13] umschwingen, to turn
[14] descending action
[15] solution
[1] surprise
[2] impediment
[3] impressive
[4] final suspense

"Minna von Barnhelm" ist das erste deutsche Theaterstück, das einen Welterfolg hatte. Noch im 18. Jahrhundert wurde es ins Französische, Englische und Italienische übersetzt und in allen diesen Sprachen aufgeführt. Auf den deutschen Bühnen hat es seine Zugkraft[5] bis heute erhalten.

Auch das nächste Drama Lessings hatte großen Erfolg.

Emilia Galotti
(1772)

ist das erste große deutsche bürgerliche Trauerspiel. Der Stoff ist dem römischen Schriftsteller Livius entnommen. Er erzählt, wie Virginius seine Tochter ersticht[6], um sie vor Entehrung[7] zu retten. Lessing läßt die Geschichte in der Gegenwart spielen. Obwohl sein Verführer[8] ein italienischer Prinz ist, erkannte man sofort den Angriff auf die verdorbenen[9] und tyrannischen Fürsten der deutschen Kleinstaaten. — Die Motive des Standesunterschiedes, des Mannes zwischen zwei Frauen und der Frau zwischen zwei Männern sind auch hier zu finden. Die künstlerische Bedeutung des Dramas liegt in den klar gezeichneten[10] Charakteren, die später oft nachgeahmt wurden, und in dem mustergültigen[11] Aufbau, der sich dem Idealschema nähert. Dadurch bildete das Stück ein retardierendes Moment in der Zeit des "Sturmes und Dranges"[12], als Regellosigkeit[13] und Willkür[14] das Prinzip der Kunst waren.

Das bedeutendste Drama Lessings und eines der großen Werke der Weltliteratur ist

Nathan der Weise
(1779)

Das Stück spielt in Palästina zur Zeit der Kreuzzüge[15]. Hier leben Angehörige[1] der drei monotheistischen Religionen, Juden, Mohammedaner und Christen, zusammen.

[5] power of attraction

[6] to stab to death
[7] rape

[8] seducer

[9] corrupted

[10] clear-cut

[11] exemplary

[12] storm and stress
[13] irregularity, enmity against rules
[14] individuality, informality

[15] crusade   [1] member

80

Im Mittelpunkt der Handlung steht die berühmte *Ringparabel*. Sie findet sich schon bei Boccaccio. Lessing hat sie umgewandelt[2] und vertieft. — Der Sultan Saladin fragt den weisen Juden Nathan, welche der drei Religionen die beste sei. Zur Antwort erzählt Nathan eine Geschichte:

[2]transform

Nathan

Vor grauen Jahren lebt' ein Mann im Osten,
Der einen Ring von unschätzbarem[3] Wert
Aus lieber Hand besaß. Der Stein war ein
Opal, der hundert schöne Farben spielte,
Und hatte die geheime[4] Kraft, vor Gott
Und Menschen angenehm[5] zu machen, wer
In dieser Zuversicht[6] ihn trug. Was Wunder,
Daß ihn der Mann im Osten darum nie
Vom Finger ließ; und die Verfügung[7] traf[7],
Auf ewig ihn bei seinem Hause zu
Erhalten? Nämlich so. Er ließ[8] den Ring
Von seinen Söhnen dem geliebtesten;
Und setzte fest[9], daß dieser wiederum
Den Ring von seinen Söhnen dem vermache[10],
Der ihm der liebste sei; und stets der Liebste,
Ohn' Ansehn[11] der Geburt, in Kraft[12] allein
Des Rings, das Haupt[13], der Fürst des Hauses
        werde. —
So kam nun dieser Ring, von Sohn zu Sohn,
Auf einen Vater endlich von drei Söhnen,
Die alle drei ihm gleich gehorsam[14] waren,
Die alle drei er folglich gleich zu lieben
Sich nicht entbrechen[15] konnte. Nur von Zeit
Zu Zeit schien ihm bald der, bald dieser, bald
Der dritte, — so wie jeder sich mit ihm
Allein befand, und sein ergießend Herz
Die andern zwei nicht teilten,[1] — würdiger
Des Ringes; den er denn auch einem jeden
Die fromme Schwachheit[2] hatte zu versprechen.
Das ging nun so, so lang es ging. — Allein
Es kam zum Sterben, und der gute Vater
Kommt in Verlegenheit[3]. Es schmerzt ihn, zwei
Von seinen Söhnen, die sich auf sein Wort
Verlassen[4], so zu kränken[5]. — Was zu tun? —
Er sendet insgeheim[6] zu einem Künstler,
Bei dem er, nach dem Muster[7] seines Ringes,

[3]inestimable
[4]secret
[5]agreeable
[6]confidence, faith
[7]to decree
[8]to leave
[9]*festsetzen*, to fix, establish
[10]to bequeath
[11]without respect
[12]by virtue of
[13]head
[14]obedient
[15]*sich enthalten*, abstain from
[1]as each might chance to be alone with him and the other two did not share his effusive heart
[2]pious weakness
[3]to be embarrassed at a loss
[4]to rely upon   [5]to hurt
[6]secretly
[7]pattern, model

81

Zwei andere bestellt[8] und weder Kosten[9]
Noch Mühe sparen[10] heißt, sie jenem gleich,
Vollkommen[11] gleich zu machen. Das gelingt[12]
Dem Künstler. Da er ihm die Ringe bringt,
Kann selbst der Vater seinen Musterring
Nicht unterscheiden. Froh und freudig ruft
Er seine Söhne, jeden insbesondre[13],
Gibt jedem insbesondre seinen Segen, —
Und seinen Ring, — Und stirbt. — Du hörst doch,
    Sultan?

Saladin

Ich hör', ich höre! — Komm mit deinem Märchen
Nur bald zu Ende. — Wird's?[14]

Nathan

        Ich bin zu Ende.
Denn was noch folgt, versteht sich ja von selbst. —
Kaum war der Vater tot, so kommt ein jeder
Mit seinem Ring, und jeder will der Fürst
Des Hauses sein. Man untersucht[15], man zankt[1],
Man klagt[2]. Umsonst; der rechte Ring war nicht
Erweislich[3] —
(Nach einer Pause, in welcher er des Sultans
    Antwort erwartet)
       Fast so unerweislich, als
Uns jetzt—der rechte Glaube.

Saladin

       Wie? Das soll
Die Antwort sein auf meine Frage? . . .

Nathan

          Soll
Mich bloß entschuldigen, wenn ich die Ringe
Mir nicht getrau[4] zu unterscheiden, die
Der Vater in der Absicht[5] machen ließ,
Damit sie nicht zu unterscheiden wären.

Saladin

Die Ringe!—Spiele nicht mit mir!—Ich dächte[6],
Daß die Religionen, die ich dir
Genannt, doch[7] wohl[7] zu unterscheiden wären.
Bis auf die Kleidung; bis auf Speis'[8] und Trank!

Nathan

Und nur von Seiten ihrer Gründe[9] nicht.—
Denn gründen alle sich nicht auf Geschichte[10]?

82

Glosses:
[9] expense   [8] order
[10] to spare, save
[11] absolutely
[12] *es gelingt mir*, I succeed
[13] separately
[14] Come on!
[15] to investigate
[1] to quarrel
[2] to complain
[3] provable
[4] *ich getraue mir*, I dare
[5] intention
[6] I should say
[7] very well
[8] food
[9] foundation
[10] history

Geschrieben oder überliefert[11]!—Und
Geschichte muß doch wohl allein auf Treu
Und Glauben[12] angenommen werden?—Nicht?—.
Nun, wessen Treu und Glauben zieht man denn
Am wenigsten in Zweifel?[13] Doch der Seinen?
Doch deren Blut wir sind? Doch deren, die
Von Kindheit an uns Proben ihrer Liebe
Gegeben? Die uns nie getäuscht[14], als wo
Getäuscht zu werden uns heilsamer[15] war?—
Wie kann ich meinen Vätern weniger
Als du den deinen glauben? Oder umgekehrt[1].—
Kann ich von dir verlangen, daß du deine
Vorfahren[2] Lügen straffst[3], um meinen nicht
Zu widersprechen?[4] Oder umgekehrt.
Das nämliche[5] gilt von den Christen. Nicht?—

11hand down

*12auf Treu und Glauben,
in good faith*

*13in Zweifel ziehen, to
doubt*

14to deceive
15wholesome

*1opposite, vice versa,
conversely*

2ancestor 3to give the lie

4to contradict

5the same

Saladin
(zu sich selbst)
Bei dem Lebendigen![6] Der Mann hat recht.
Ich muß verstummen.

6by the living God!

Nathan
Laß auf unsre Ring'
Uns wieder kommen. Wie gesagt: die Söhne
Verklagten[7] sich; und jeder schwur[8] dem Richter,
Unmittelbar[9] aus seines Vaters Hand
Den Ring zu haben.—Wie auch wahr!—Nachdem
Er von ihm lange das Versprechen schon
Gehabt, des Ringes Vorrecht[10] einmal zu
Genießen[11].—Wie nicht minder wahr!—Der
    Vater,
Beteuerte[12] jeder, könne gegen ihn
Nicht falsch[13] gewesen sein; und eh' er dieses
Von ihm, von einem solchen lieben Vater
Argwohnen[14] laß': eh' müss' er seine Brüder,—
So gern er sonst von ihnen nur das beste
Bereit zu glauben sei, — des falschen Spiels
Bezeihen[15]; und er wolle die Verräter
Schon auszufinden wissen; sich schon rächen.

7to sue each other
8schwören, to swear
9directly

10privilege
11to enjoy

12to assure
13deceitful

14suspect

*15beschuldigen, to accuse,
charge*

Saladin
Und nun, der Richter?—Mich verlangt[1] zu hören,
Was du den Richter sagen lässest. Sprich!

1I am anxious

Nathan
Der Richter sprach: wenn ihr mir nun den Vater
Nicht bald zur Stelle[2] schafft, so weis'[3] ich euch

2to bring here
3to dismiss

83

Von meinem Stuhle. Denkt ihr, daß ich Rätſel[4]
Zu löſen da bin? Oder harret[5] ihr,
Bis daß der rechte Ring den Mund eröffne?—
Doch halt! Ich höre ja, der rechte Ring
Beſitzt die Wunderkraft, beliebt zu machen;
Vor Gott und Menſchen angenehm. Das muß
Entſcheiden[6]! Denn die falſchen Ringe werden
Doch das nicht können! Nun, wen lieben zwei
Von euch am meiſten?—Macht[7], ſagt an! Ihr
    ſchweigt?
Die Ringe wirken[8] nur zurück? Und nicht
Nach außen? Jeder liebt ſich ſelber nur
Am meiſten? O, ſo ſeid ihr alle drei
Betrogene[9] Betrüger[9]! Eure Ringe
Sind alle drei nicht echt. Der echte Ring
Vermutlich[10] ging verloren. Den Verluſt
Zu bergen[11], zu erſetzen[12], ließ[13] der Vater
Die drei für einen machen[13].

Saladin

Herrlich![14] herrlich!

Nathan

Und alſo, fuhr der Richter fort[15], wenn ihr
Nicht meinen Rat ſtatt meines Spruches wollt:
Geht nur!—Mein Rat iſt aber der: ihr nehmt
Die Sache völlig, wie ſie liegt[1]. Hat von
Euch jeder ſeinen Ring von ſeinem Vater:
So glaube jeder ſicher ſeinen Ring
Den echten.—Möglich, daß der Vater nur
Die Thrannei des e i n e n Rings nicht länger
In ſeinem Hauſe dulden[2] wollen! — Und gewiß,
Daß er euch alle drei geliebt, und gleich
Geliebt: indem er zwei nicht drücken[3] mögen,
Um einen zu begünſtigen[4]. — Wohlan!
Es eifre[5] jeder ſeiner unbeſtochnen[6],
Von Vorurteilen[7] freien Liebe nach![15]
Es ſtrebe von euch jeder um die Wette[8],
Die Kraft des Steins in ſeinem Ring an Tag
Zu legen[9]! Komme dieſer Kraft mit Sanftmut[10],
Mit herzlicher Verträglichkeit[11], mit Wohltun[12],
Mit innigſter[13] Ergebenheit[14] in Gott
Zu Hilf'!—Und wenn ſich dann der Steine
    Kräfte
Bei euern Kindes=Kindeskindern äußern[15],
So lad'[1] ich über tauſend tauſend Jahre

84

[4] riddle
[5] to wait

[6] to decide

[7] go on

[8] to work

[9] deceived deceiver

[10] presumably
[11] to hide   [12] to replace
[13] had made

[14] splendid

[15] *fortfahren*, to continue

[1] is

[2] to tolerate

[3] to oppress

[4] to favor
[5] to emulate   [6] incorrupt
[7] prejudice

[8] vie with each other

[9] bring to light
[10] gentleness

[11] sociability   [12] charity

[13] ardent   [14] devotion

[15] manifest
[1] to summon

Sie wiederum vor diesen Stuhl. Da wird
Ein weis'rer Mann auf diesem Stuhle sitzen
Als ich, und sprechen. Geht! — So sagte der
Bescheidne² Richter.

²modest

Saladin

Gott! Gott!

Nathan

Saladin,
Wenn du dich fühlest, dieser weisere
Versprochne Mann zu sein . . .

Saladin

Ich Staub³? Ich Nichts?

O Gott!

³dust

Nathan

Was ist dir, Sultan?

Saladin

Nathan, lieber Nathan!—
Die tausend tausend Jahre deines Richters
Sind noch nicht um⁴. — Sein Richterstuhl ist nicht
Der meine. — Geh! Geh! — Aber sei mein
    Freund!

⁴over, past

Von seinem Erscheinen an ist Lessings
"Nathan" vielfach⁵ mißverstanden und hef-
tig bekämpft⁶ worden. Die mildesten seiner
Gegner warfen ihm vor, daß er eine laue⁷
Toleranz, wenn nicht gar Gleichgültigkeit⁸ in
religiösen Dingen predige. Auch sie tun
ihm Unrecht⁹. Lessing geht weit über den
Toleranzgedanken hinaus. Ebenso hat seine
Lebensauffassung¹⁰ weder mit den englischen
Deisten noch mit den französischen Frei-
denkern¹¹ etwas zu tun. Was er im "Nathan"
lehrt, ist klar und eindeutig¹² folgendes: Die
Religion, in der wir aufgewachsen¹³ sind,
sollte der Gegenstand unserer Liebe und
Verehrung¹⁴ sein. Aber sie sollte nur den
Ausgangspunkt¹⁵ bilden für unser Streben
nach Vervollkommnung¹. In dieser Bezie-
hung bieten² alle Religionen die gleichen
Möglichkeiten. Nur was ein Mensch ist,
nicht, was er bekennt³, zeigt, ob er wahre
Religiosität hat. Vielleicht kommt einmal

⁵frequently and in many ways
⁶vehemently opposed
⁷lukewarm
⁸indifference

⁹to do injustice

¹⁰outlook upon life

¹¹freethinker
¹²unequivocal
¹³to grow up

¹⁴devotion

¹⁵starting point
¹improvement, perfection
²to offer

³to profess

85

die Zeit, da sich alle Glaubensbekenntnisse[4] vereinigen zu einer Religion edlen Menschentums. *"Edel sei der Mensch, hilfreich[5] und gut!"*, so hat Goethe später den gleichen Gedanken ausgedrückt, am schönsten aber wohl in den Worten:

"Alle menschlichen Gebrechen[6] sühnet[7] reine Menschlichkeit."

Heute allerdings klingt es wie ein Hohn[8], daß auf dem Lessingdenkmal in Berlin die Worte zu lesen sind:

Es eifre jeder seiner unbestochnen,
Von Vorurteilen freien Liebe nach!

Die literarhistorische Bedeutung des "Nathan" liegt im folgenden:

1. Der "Nathan" ist das erste bedeutende deutsche Theaterstück, das im *Blankvers* geschrieben ist. Von da an ist Shakespeares fünffüßiger Jambus[9] der Vers des deutschen Dramas höheren Stils, der Vers Goethes, Schillers, Grillparzers, Kleists und Hebbels.

2. Der "Nathan" leitet die deutsche Klassik ein[10]. Er zeigte den Weg, auf dem das Drama vom Realismus zu höheren Dingen erhoben werden konnte.

3. Der "Nathan" ist das erste der drei großen *Humanitätsdramen* der deutschen Literatur. Er zeigt das Humanitätsideal auf religiösem Gebiete, wie Goethes "Iphigenie" auf sozialem und Schillers "Don Karlos" auf politischem Gebiete.

Im Frühjahr 1942 wurde der "Nathan" in einer englischen Bearbeitung in New York aufgeführt und war ein Broadwayerfolg.

Lessing wollte nicht, daß man ihn einen Dichter nenne. Jedenfalls wollte er nicht nur Dichter sein. Eines seiner Sinngedichte lautet:

An den Herrn R.—
Es freut mich sehr, mein Herr, daß Ihr ein Dichter seid;

---

[4]denomination

[5]helpful

[6]weakness [7]to redeem

[8]irony

[9]iambic pentameter

[10]to introduce

Doch seid Ihr sonst nichts mehr, mein Herr?
Das ist mir leid[11].

In der Tat liegt Lessings Bedeutung nicht nur auf dem Gebiete der Dichtkunst. Der große englische Schriftsteller Macaulay hat ihm den Namen gegeben: *"Der erste Kritiker Europas"*. Lessing ist wirklich der Begründer der modernen Kritik, nicht nur Deutschlands, sondern der Welt. Er hatte alle Eigenschaften, um dieser große Kritiker zu werden: einen scharfen Blick, der das Echte vom Unechten zu scheiden[12] wußte; die Gabe, die Goethe für das Kennzeichen[13] wahrer Bildung hält, *"das Allgemeine[14] im Besonderen[15] und das Besondere im Allgemeinen zu erkennen"*; eine umfassende[1] Gelehrsamkeit; Geschmack; Mut; einen Prosastil, der heute noch vorbildlich[2] ist. Lessing sagt über seinen Stil: *"Die größte Deutlichkeit[3] war mir immer die größte Schönheit."* Bei aller Klarheit und Einfachheit ist Lessings Prosa voll Rhythmus und nicht abstrakt, sondern bilderreich[4] und plastisch.—Über[5] allem aber steht, wie schon Goethe erkannte, sein Charakter, sein nimmermüder[6] Wahrheitsdrang[7]. *"Wo bist du nun, edler Wahrheitsucher[8], Wahrheitkenner, Wahrheitverfechter[9] . . ."*, heißt es in Herders Nachruf[10]. *"Nichts ist groß, was nicht wahr ist,"* sagt Lessing in der "Hamburgischen Dramaturgie". Berühmt ist sein Satz: *"Wenn Gott in seiner Rechten alle Wahrheit, und in seiner Linken den einzigen, immer regen Trieb nach Wahrheit, obschon mit dem Zusatze, sich immer und ewig zu irren[11], verschlossen hielte, und spräche zu mir: wähle!—ich fiele ihm mit Demut[12] in seine Linke und sagte: Vater, gib! die reine Wahrheit ist ja doch nur für dich allein!"*

Die Brücke zwischen Lessings Dichtung und Kritik bilden seine FABELN. Sie stehen in allen Schullesebüchern.

[11]To Mr. R.—
That you're a poet, sir,
I'm very glad;
But are you nothing more?
Ah! that's bad.

[12]separate

[13]mark, sign

[14]general   [15]individual

[1]comprehensive
[2]exemplary

[3]clarity

[4]rich in pictures
[5]above

[6]never weary
[7]striving for truth
[8]seeker
[9]defender
[10]obituary

[11]nothing but the ever restless urge (desire) for truth, though with the condition of forever and ever erring
[12]humbly

87

Der Affe[13] und der Fuchs[14]

Nenne mir ein so geschicktes[15] Tier, das ich nicht nachahmen könnte! so prahlte[1] der Affe gegen den Fuchs. Der Fuchs aber erwiderte: Und du, nenne mir ein Tier, dem es einfallen[2] könnte, dir nachzuahmen.

Schriftsteller meiner Nation!—Muß ich mich noch deutlicher erklären[3]?

Der Besitzer des Bogens[4]

Ein Mann hatte einen trefflichen[5] Bogen von Ebenholz[6], mit dem er sehr weit und sehr sicher[7] schoß, und den er ungemein[8] wert[9] hielt[9]. Einst[10] aber, als er ihn aufmerksam[11] betrachtete, sprach er: Ein wenig plump[12] bist du doch! Alle deine Zierde[13] ist die Glätte[14]. Schade![15] — Doch dem ist abzuhelfen![1], fiel ihm ein. Ich will hingehen und den besten Künstler Bilder in den Bogen schnitzen[2] lassen. — Er ging hin, und der Künstler schnitzte eine ganze Jagd[3] auf den Bogen; und was hätte sich besser auf einen Bogen geschickt[4] als eine Jagd?

Der Mann war voller Freuden. „Du verdienst diese Zieraten, mein lieber Bogen!" — Indem will er ihn versuchen; er spannt[5], und der Bogen—zerbricht[6].

Der Rangstreit[7] der Tiere

I

Es entstand ein hitziger[8] Rangstreit unter den Tieren. „Ihn zu schlichten[9]," sprach das Pferd, „lasset uns den Menschen zu Rate ziehen[10]; er ist keiner von den streitenden Teilen, und kann desto unparteiischer[11] sein."

„Aber hat er auch den Verstand dazu?" ließ[13] sich ein Maulwurf[12] hören[13].

„Ja wohl!" riefen der Hamster[14] und der Igel[15]. „Schweigt ihr!" befahl das Pferd. „Wir wissen es schon: Wer sich auf die Güte seiner Sache[1] am wenigsten zu verlassen[2] hat, ist immer bereit, die Einsicht[3] seines Richters in Zweifel zu ziehen."

II

Der Mensch wurde Richter.—„Noch ein Wort," rief ihm der majestätische Löwe zu, „bevor du den

88

---

[13]monkey [14]fox
[15]clever
[1]to boast

[2]to occur

[3]explain more fully

[4]bow
[5]excellent
[6]ebony
[7]accurately [8]uncommonly
[9]valued, treasured
[10]once, one day
[11]attentively [12]clumsy
[13]ornament [14]polish
[15]it's too bad
[1]to help

[2]to carve

[3]hunt

[4]to suit, fit

[5]to bend

[6]to break to pieces

[7]dispute about rank

[8]heated

[9]to settle

[10]to consult

[11]impartial

[12]mole
[13]was heard to say
[14]hamster
[15]hedgehog

[1]cause [2]to rely
[3]insight, judgment

Ausspruch tust! Nach welcher Regel, Mensch, willst du unsern Wert bestimmen[4]?"

"Nach welcher Regel? Nach dem Grade ohne Zweifel," antwortete der Mensch, „in welchem ihr mir mehr oder weniger nützlich seid." —

„Vortrefflich!" versetzte der beleidigte[5] Löwe. „Wie weit würde ich dann unter dem Esel zu stehen kommen! Du kannst unser Richter nicht sein, Mensch! Verlaß die Versammlung[6]!"

III

Der Mensch entfernte sich. „Nun," sprach der höhnische Maulwurf, „siehst du, Pferd, der Löwe meint es auch, daß der Mensch unser Richter nicht sein kann. Der Löwe denkt wie wir."

„Aber aus besseren Gründen als ihr!" sagte der Löwe.

IV

Der Löwe fuhr fort: „Der Rangstreit, wenn ich es recht überlege, ist ein nichtswürdiger[7] Streit! Haltet mich für den Vornehmsten oder für den Geringsten; es gilt mir gleich viel. Genug, ich kenne mich!" — Und so ging er aus der Versammlung.

Ihm folgte der weise Elefant, der kühne Tiger, der ernsthafte[8] Bär, der kluge Fuchs, das edle Pferd; kurz alle, die ihren Wert fühlten oder zu fühlen glaubten.

Die sich am letzten wegbegaben und über die zerrissene Versammlung am meisten murrten[9], waren — — der Affe und der Esel.

Die bekanntesten kritischen Werke Lessings sind, außer den schon erwähnten "Literaturbriefen", die "Hamburgische Dramaturgie" und "Laokoon".

Hamburgische Dramaturgie

Im Jahre 1767 wurde Lessing als Dramaturg[10] an das neu gegründete Hamburger Nationaltheater berufen. Es gehörte zu seinen Pflichten, fortlaufend[11] über die dargestellen Stücke zu berichten[12]. Er ergriff die Gelegenheit[13], seine Gedanken über die dramatische Kunst darzulegen. Sie waren

[4]determine

[5]offend

[6]meeting

[7]infamous

[8]serious

[9]to grumble

[10]literary adviser

[11]regularly

[12]comment

[13]to take the opportunity

89

von größtem Einfluß auf die Entwicklung des Dramas. Er erklärt, daß die griechischen Tragiker und die Lehren des Aristoteles von den Franzosen und von Gottsched mißverstanden wurden. Auch für Lessing sind die Griechen höchste Autorität, weil sie im Geiste echter Humanität und einfacher Natürlichkeit dichteten.. Shakespeare kam ihnen unbewußt[14] näher als die Franzosen, die den Griechen bewußt[15] nachstrebten; denn er war von demselben wahren Kunstgefühl inspiriert. Lessing gibt eine Interpretation von Aristoteles' berühmter Definition des Dramas. Von den "drei Einheiten" ist nur die Einheit der Handlung wichtig. Die Handlung muß sich überzeugend[1] aus den handelnden Charakteren ergeben[2]. Alles was auf der Bühne vorgeht[3], muß vernunftgemäß[4] und wahrscheinlich[5] sein. Vernunftgemäß und glaubhaft aber ist, was der Dichter imstande ist, uns glauben zu machen[6]. Der Geist in "Hamlet" ist gerechtfertigt[7], weil seine Erscheinung mit großer dichterischer Kunst vorbereitet und der Geist eine handelnde Person ist, an der wir Anteil[8] nehmen[8].—Das Drama muß einen festen Aufbau haben. Eine "Moral" ist nicht notwendig, denn wirkliche Kunst wird immer den Menschen bessern.—Mögen diese Gedanken uns heute nicht neu erscheinen, so waren sie es doch zu Lessings Zeit. Durch ihn sind sie Gemeingut geworden.

Über die Grundfragen[9] der Kunst handelt der

Laokoon

Lessing geht von der Laokoongruppe, einem der berühmtesten Werke griechischer Bildhauerkunst[10], aus[11]. Sie stellt den Augenblick dar, in welchem der trojanische Priester Laokoon mit seinen beiden Söhnen von zwei riesigen Schlangen erwürgt wird. Lessing vergleicht diese Darstellung mit der Art, wie Vergil die gleiche Szene schildert,

[14]unconsciously
[15]deliberately

[1]convincingly
[2]to result   [3]to happen
[4]rational   [5]probable
[6]what the poet succeeds in making us believe
[7]justified

[8]to sympathize

[9]fundamentals

[10]sculpture
[11]*ausgehen,* to start out

90

und steckt die Grenzen zwischen bilden-der[12] Kunst[12] und Dichtkunst ab[13]. Körper sind der Gegenstand der ersteren, Handlungen der Gegenstand der Dichtkunst.

"Ich behaupte[14], daß nur das die Bestimmung[15] einer Kunst sein kann, wozu sie einzig und allein geschickt[1] ist, und nicht das, was andere Künste ebenso gut, wo nicht besser, leisten können als sie." — In Goethes "Dichtung und Wahrheit" heißt es: *"Man muß Jüngling sein, um sich zu vergegenwärtigen[2], welche Wirkung Lessings "Laokoon" auf uns ausübte."*

Viele ehrende Beinamen hat Lessing in der Literaturgeschichte erhalten. Der schönste ist wohl:

Lessing, der Befreier[3].

Lessing hat die deutsche Literatur befreit:
1. von den starren[4] und wertlosen Regeln Gottscheds,
2. von der Herrschaft[5] der Franzosen,
3. von dem Versmaß, das der deutschen Sprache nicht angemessen war, dem Alexandriner,
4. von dem "Vernunftgemäßen",
5. von der nüchternen[6] moralischen Tendenz,
6. von der beschreibenden[7] Dichtung,
7. von engen geistigen Fesseln.

Lessing gehört zu den drei oder vier großen deutschen Schriftstellern, die die Welt kennt, und die die Literatur und die geistige Entwicklung aller Nationen dauernd[8] beeinflußt haben.

In der Zeit, da Lessings Wirken auf dem Höhepunkte war, in den siebziger Jahren[9] des 18. Jahrhunderts, genauer von 1767 bis 1786, war eine Bewegung in Deutschland herrschend, die neben[10] und teilweise gegen Lessing wirkte. Alle jungen Geister der Zeit gingen durch diese Strömung. Die Großen freilich, wie Goethe und Schiller, haben sie bald überwunden[11]. Der ursprüngliche[12] Name ist "Geniezeit", und die An-

[12]sculpture and painting
[13]*abstecken,* to set

[14]to maintain
[15]object, task
[1]fit

[2]to imagine

[3]liberator

[4]rigid

[5]domination

[6]dry, prosy

[7]descriptive

[8]continuously

[9]seventh decade

[10]parallel with

[11]*überwinden,* to overcome
[12]original

91

hänger[13] nannten sich selbst "Genies" oder "Originalgenies". Erst später entstand die Bezeichnung:

STURM UND DRANG[14]

nach dem Titel eines Dramas von Maximilian Klinger. Es ist eine literarische Richtung, aufgebaut auf einer bestimmten Weltanschauung. Wir finden Ähnliches auch in anderen Literaturen, aber nicht so ausgesprochen[15] wie in der deutschen. Der "Sturm und Drang" ist auf geistigem Gebiete dasselbe wie die französische Revolution auf politischem; in dem zersplitterten[1] Deutschland blieb[1a] es bei[1a] der literarischen Revolution.

In dem ständigen Kampfe zwischen Vernunft und Gefühl, Rationalismus und Pietismus, stehen die Stürmer und Dränger ganz auf der Seite des Gefühls.

Sie sind *gegen*:
1. jeden Regelzwang[2],
2. jedes Vorbild[3] und jede Autorität,
3. die Herrschaft des Verstandes und der Gelehrsamkeit,
4. Despotismus, Militarismus, den Adel, den Standesunterschied, die soziale Ordnung.

Sie sind *für*:
1. höchsten Individualismus, für ein freies Ausleben[4] der Persönlichkeit. "Mensch sein" ist das größte Glück.
2. Originalität. Sie verehren[5] Homer und Shakespeare, aber nicht nachahmen wollen sie, sondern so sein wie diese. Lessing hat Shakespeare für die Deutschen entdeckt[6], die Stürmer rufen nach dem deutschen Shakespeare.
3. Gefühl ist alles. Das "Herz" macht den Dichter. Sie vermeiden[7] Worte wie "denken", "erklären"; statt deren sagen sie: "fühlen", "genießen"[8], sogar "schmekken"[9]; denn alles soll mit den Sinnen aufgenommen, unmittelbar[10] erlebt werden.

[13]adherent

[14]storm and stress

[15]outspoken

[1]dismembered
[1a]it never went beyond

[2]compulsory rules
[3]model

[4]outpouring

[5]to adore

[6]to discover

[7]to evade

[8]to enjoy
[9]to taste
[10]directly

92

Genuß der Schönheit und edle Tat sind der Zweck des Lebens. Das Naturhafte ist Ziel der Kunst. Sie schwärmen[11] für Dialekt, Volkskunst und Primitivität.

[11]to be enthusiastic about

Der "Sturm und Drang" hat zwei Seiten, eine gefühlvolle, sentimentale, die den stärksten Ausdruck in Goethes "Werther" gefunden hat, und eine kraftvolle, wie sie in Goethes "Götz" und Schillers "Die Räuber" erscheint.

Die Hauptdichtungsgattung der Stürmer und Dränger ist das bürgerliche Drama. Abgesehen von[12] den Jugenddramen der beiden Großen, ist es durch seine Übertreibungen[13] in Form und Inhalt heute kaum mehr erträglich[14].

[12]apart from
[13]exaggeration

[14]tolerable

Das Haupt der Bewegung war

Johann Gottfried Herder
(1744 - 1803)

Er war Ostpreuße, Sohn eines armen Küsters[15], und mußte sich ebenso wie Lessing während seiner Studienzeit selber durchbringen[1]. In Königsberg hörte er Theologie und bei Kant Philosophie. Dann wurde er Pfarrer in Riga und später in Bückeburg. Im Jahre 1771 traf er in Straßburg mit dem jungen Goethe zusammen. Diese Begegnung war von entscheidender Bedeutung für die innere Entwicklung des 21-jährigen Studenten Goethe und äußerlich folgenreich[2] für den 26-jährigen Geistlichen. Fünf Jahre später wurde Herder auf Goethes Empfehlung als Oberpfarrer nach Weimar berufen, wo er bis zu seinem Tode blieb.

[15]sexton
[1]to work one's way through

[2]full of consequence

Herder war weder ein großer Dichter noch ein scharf logischer Kritiker oder ein systematischer Gelehrter; und doch steht seine Bedeutung für die Geistesgeschichte nicht nur Deutschlands, sondern der ganzen Welt außer Frage. Goethe konnte von ihm sagen, er sei der bedeutendste Mensch gewesen, der ihm begegnet[3] war. Er ist der große *Anreger*[4], der die Geister aufwühlte[5]. Er hat

[3]to meet
[4]stimulator   [5]to stir up

Gedanken zum *ersten Male* ausgesprochen, die dann von anderen aufgenommen[6], weiter verfolgt und in die Tat umgesetzt[7] wurden. Diese *geistige Pionierarbeit* Herders erstreckte sich über verschiedene Gebiete[8].

[6]to take up
[7]to translate into

[8]sphere

1. Sein Werk *"Stimmen der Völker in Liedern"* brachte zum ersten Male Volkslieder aus allen Teilen der Erde, von Grönland bis Italien, von Peru und Mexiko, die Herder Jahre lang gesammelt[9] und hervorragend[10] übersetzt hatte. Er lenkte[11] damit die Aufmerksamkeit[11] auf die *Volkskunst,* die seit dem 17. Jahrhundert verachtet[12] war. Auch schuf er damit den Begriff[13] *"Weltliteratur"*, der sich in der klassischen und romantischen Zeit als sehr fruchtbar[14] erwies.

[9]to collect
[10]excellent

[11]to call attention
[12]to despise
[13]conception

[14]fruitful, productive

Seine *Übersetzungskunst* hat er noch vielfach bewährt[15]. Am bekanntesten ist seine Bearbeitung der altspanischen Romanzen vom

[15]to prove

Cid

Aus der 14. Romanze

(Der Held, Rodrigo, der um das Jahr 1000 lebte und den Beinamen "Cid el Batal", d. h. Herr der Schlacht, erhielt, hat den Grafen Gormanz, der seinen Vater beleidigt[1] hatte, im Zweikampf[2] getötet. Des Gefallenen Tochter, Ximene, erhebt Klage gegen Rodrigo. Aber die beiden entbrennen in Liebe zu einander.)

[1]to insult
[2]duel

Robrigo

In der stillen Mitternacht,
Wo nur Schmerz und Liebe wacht,
Nah' ich mich hier,
Weinende Ximene,
(Trockne[3] deine Träne)
Zu dir.

[3]to dry

Ximene

In der dunklen Mitternacht,
Wo mein tiefster Schmerz erwacht,
Wer nahet mir?

94

Rodrigo

Vielleicht belauscht⁴ uns hier   ⁴to overhear
Ein uns feindselig⁵ Ohr;   ⁵hostile
Eröffne⁶ mir —   ⁶to tell, disclose

Ximene

Dem Ungenannten⁷,   ⁷anonymous
Dem Unbekannten⁸   ⁸unknown
Eröffnet sich zu Mitternacht
Kein Tor.
Enthülle⁹ dich;   ⁹to reveal
Wer bist du, sprich!

Rodrigo

Verwaiste¹⁰ Ximene,   ¹⁰orphaned
Du kennest mich.

Ximene

R o d r i g o ... ja ich kenne dich.
Du Stifter¹¹ meiner Tränen,   ¹¹author
Der meinem Stamm¹² sein edles Haupt,   ¹²family
Der meinen Vater mir geraubt —

Rodrigo

Die E h r e tat's; nicht ich.
Die L i e b e will's versöhnen¹³.   ¹³to conciliate

Ximene

Entferne dich! Unheilbar¹⁴   ¹⁴incurable
Ist mein Schmerz.

Rodrigo

So schenk' o schenke mir
Dein Herz;
Ich will es heilen.

Ximene

Wie? Zwischen Dir und meinem Vater, Ihm!
Mein Herz zu teilen? —

Rodrigo

Unendlich¹⁵ ist der Liebe Macht.   ¹⁵infinite

Ximene

Rodrigo, gute Nacht.

Es mag interessieren, daß die großartige
deutsche Fassung¹ des Textes zu Händels   ¹version
"Messias" von Herder stammt.

2. In seiner *Literaturkritik* hat Herder an
Lessing angeknüpft² und ihn ergänzt³, indem   ²to refer to
    ³to supplement

er das Gefühlsmäßige in der Kunst stärker betont. Noch begeisterter[4] als Lessing weist[5] er auf *Shakespeare* hin[5]. *"Ich bin Shakespeare näher als den Griechen."* Aber man muß Shakespeare, so wie alle Dichter, aus dem Geiste seiner *Zeit* und *Umgebung* verstehen. Deshalb kann man ihn nicht nachahmen, weil die Umstände verschieden sind. (Der Franzose Taine hat das später "milieu" genannt und mit seinen Erklärungen Aufsehen[6] erregt.) Die Literatur ist für Herder nicht das Erzeugnis[7] einiger weniger Individuen, sondern der Ausdruck der *Volksseele.* (Die Romantiker haben diese Idee aufgenommen und damit bis in die neueste Zeit viel Verwirrung[8] geschaffen.) Trotz der Betonung des Nationalen liegt[9] Nationalstolz Herder vollständig fern[9].

[4]more enthusiastically
[5]to point

[6]sensation
[7]product

[8]confusion

[9]to be far from

3. Herders Hauptwerk *"Ideen zur Philosophie der Geschichte der Menschheit"* hat die moderne Geschichtsauffassung[10] und -darstellung[11] begründet. Herder war der erste, der erkannte, daß "Geschichte" nicht eine Aufzählung[12] von Königen und ihren Schlachten, sondern die Darstellung der gesamten äußeren und inneren Entwicklung der Völker ist. Außerdem, daß man die Geschichte eines Volkes nicht getrennt betrachten könne, sondern daß die Menschheitsgeschichte eine Einheit bildet. *"Wieviel ist hier noch zu suchen und auszumachen! Welch ein Werk über das menschliche Geschlecht[13]! den menschlichen Geist! die Kultur der Erde! aller Räume![14] Zeiten! Völker! Kräfte! Mischungen[15]! Gestaltungen[1]! — Großes Thema[2]: ... Universalgeschichte der Bildung der Welt!"* ... Herder hat so auch den Grundstein gelegt zu der Wissenschaft der *Völkerpsychologie*[2a].

[10]interpretation of history
[11]representation

[12]enumeration

[13]race
[14]space
[15]mixture   [1]formation
[2]topic

[2a]ethnical psychology

4. Herders Gedanken gehören aber nicht nur der Vergangenheit, sie weisen[3] auch in die Zukunft. Wie Rousseau wollte er eine Erneuerung[4] der Menschheit, einen glück-

[3]to point

[4]renewal

96

licheren Zustand herbeiführen. Aber Rousseau sieht den Idealzustand in der Vergangenheit, in einer Rückkehr[5] der Menschheit zur Natur, Herder propagiert eine Weiterentwicklung des Menschen zur wahren *Humanität*. Wie Herder das Humanitätsideal auf die christliche Glaubenslehre aufbaute, möge ein Abschnitt[6] aus den "Ideen" zeigen:

„Siebzig Jahre vor dem Untergange[7] des jüdischen Staats wurde in ihm ein Mann geboren, der sowohl in dem Gedankenreich der Menschen als in ihren Sitten[8] und Verfassungen[9] eine unerwartete[10] Revolution hervorgerufen hat, Jesus. Arm geboren und im rohesten Teil seines Landes erzogen, lebte er die größte Zeit seines Lebens unbemerkt, bis er, durch eine himmlische Erscheinung eingeweiht[11], zwölf Menschen seines Standes als Schüler zu sich zog, mit ihnen einen Teil Judäas durchreiste, und sie bald darauf selbst als Boten[12] eines herannahenden[13] neuen Reiches umher sandte. Das Reich, das er ankündigte[14], nannte er das Reich Gottes, ein himmlisches Reich, zu welchem nur auserwählte[15] Menschen gelangen könnten, zu welchem er also auch nicht mit Auflegung[1] äußerlicher Pflichten und Gebräuche[2], desto mehr aber mit einer Aufforderung[3] zu reinen Geistes= und Gemütstugenden[4] einlud.

Die echteste Humanität ist in den wenigen Reden enthalten, die wir von ihm haben; Humanität ist's, was er im Leben bewies[5] und durch seinen Tod bekräftigte[6]; wie er sich denn selbst mit einem Lieblingsnamen den Menschensohn nannte... Was war nun dieses Reich der Himmel, dessen Ankunft Jesus verkündigte, zu wünschen empfahl[7] und selbst zu bewirken[8] strebte? Daß es keine weltliche Hoheit gewesen, zeigt jede seiner Reden und Taten, bis zu dem letzten klaren Bekenntnis[9], das er vor seinen Richtern ablegte[10]. Als ein geistiger Erretter[11] seines Geschlechts wollte er Menschen Gottes bilden, die, unter welchen Gesetzen es auch wäre, aus reinen Grundsätzen[12] andrer Wohl[13] beförderten[14] und, selbst duldend, im Reich der

[5]return
[6]chapter
[7]fall, ruin
[8]morals [9]constitution
[10]unexpected
[11]consecrated
[12]messenger
[13]approaching
[14]announce
[15]chosen
[1]imposition
[2]custom, rite
[3]challenge
[4]virtues of mind and soul
[5]*beweisen*, to prove
[6]confirm
[7]*empfehlen*, to recommend
[8]to effect
[9]confession
[10]to make [11]savior
[12]principle [13]welfare
[14]to promote

97

Wahrheit und Güte als Könige herrschten. Daß eine Absicht[15] dieser Art der einzige Zweck der Vorsehung[1] mit unserem Geschlecht sein könne, zu welchem auch alle Weisen und Guten der Erde mitwirken[2] müssen und mitwirken werden, dieses ist durch sich selbst klar. Denn was hätte der Mensch für ein andres Ideal seiner Vollkommenheit[3] und Glückseligkeit auf Erden, wenn es nicht diese allgemein wirkende reine Humanität wäre?

Verehrend[4] beuge[5] ich mich vor Deiner edlen Gestalt, Du Haupt und Stifter eines Reichs von so großen Zwecken, von so dauerndem[6] Umfang[7], von so einfachen, lebendigen Grundsätzen, von so wirksamen[8] Triebfedern[9], daß ihm die Sphäre dieses Erdenlebens selbst zu enge schien. Nirgends finde ich in der Geschichte eine Revolution, die in kurzer Zeit so stille veranlaßt[10], durch schwache Werkzeuge[11] auf eine so sonderbare[12] Art, zu einer noch unabsehlichen[13] Wirkung[14] angepflanzt[15], und in Gutem und Bösem bebaut[1] worden ist. Nicht unter dem Namen D e i n e r R e l i g i o n, d. i. Deines lebendigen Entwurfs[2] zum Wohl der Menschen hat sie sich den Völkern mitgeteilt, sondern größtenteils einer R e l i g i o n a n D i c h, d.i. einer gedankenlosen Anbetung Deiner Person und Deines Kreuzes. Dein heller Geist sah dies selbst voraus; und es wäre Entweihung[3] Deines Namens, wenn man ihn bei jedem trüben[4] Abfluß[5] Deiner reinen Quelle zu nennen wagte. Wir wollen ihn, so weit es sein kann, nicht nennen; vor der ganzen Geschichte, die von Dir abstammt[6], stehe Deine stille Gestalt allein."

Goethe schrieb über die "Ideen": *"Zu dem ganzen Inhalte sage ich Ja und Amen. Es läßt sich nichts Besseres über den Text: 'Also hat Gott die Welt geliebt,' sagen . . ."*

So klare und einfache Stellen wie die obige[7] finden sich übrigens bei Herder selten. Meistens ist sein Prosastil dithyrambisch, seine Gedanken sind unzusammenhangend[8], seine Werke fragmentarisch. Deshalb wohl wird er heute nicht mehr viel gelesen. Aber seine Ideen und Anregungen sind längst zum all-

[15]intention
[1]Providence
[2]to co-operate
[3]perfection
[4]to adore [5]to bow
[6]lasting [7]magnitude
[8]effective [9]motive
[10]to start
[11]tool [12]strange
[13]not to be foreseen
[14]effect
[15]to plant [1]to cultivate
[2]design
[3]profanation
[4]muddy [5]flowing off
[6]to originate
[7]above
[8]incoherent

gemeinen Besitz der Gebildeten geworden, und die Sprach-, Kultur- und Geschichtsforschung[9] des 19. und 20. Jahrhunderts ist von seinem Geiste erfüllt.

[9]*Forschung,* research

"Mittel zum Zweck"[10] hat Goethe Herders Wirken genannt. Manchmal erscheint[11] es, als ob er—sowie teilweise[12] auch Klopstock, Wieland und Lessing—hauptsächlich Mittel zu dem *einen* Zweck gewesen wären: die Bahn frei zu machen[13] für den einen, den Größten, der das Geistesleben der Menschheit für alle Zukunft beherrschen[14] sollte[15]:

[10]means to an end

[11]it appears

[12]partly

[13]clear the way

[14]to rule over [15]was to

GOETHE
(1749 - 1832)

"Die Nachkommen[1] werden staunen, daß je[2] so ein Mensch war."

[1]posterity

[2]ever

Maximilian Klinger, 1775

"Goethe gegenüber[3] bin ich doch ein Nichts!"

[3]in comparison to

Schiller

"Voilà un homme!"

Napoleon

"Der unbestrittene[4] Fürst[5] der europäischen Literatur."

[4]undisputed   [5]sovereign

Byron

"Goethe ist kein deutsches Ereignis[6], sondern ein europäisches."

[6]phenomenon

Nietzsche

"Der ewige Weltgeist, der die Welt aufbaute, hat sich diesem Menschen mehr offenbart als irgendeinem andern."

The old Eternal Genius who built the world has confided himself more to this man than to any other.

Emerson

"Der 'Faust' ist meine weltliche Bibel."

Bismarck

"Dein Name war's, der mir in meiner ersten Jugend gleich einem Stern des Himmels entgegenleuchtete[7]."

[7]leuchten, to beam, gleam

Manzoni

"Dieser Mann ist zum Herrscher der Welt berufen."

This man . . . is appointed to be the ruler of the world.

Carlyle

Viele ähnliche begeisterte[8] Aussprüche[9] großer Zeitgenossen und Späterer ließen sich finden. Dennoch trifft[10] nur der Satz ins Schwarze, den Goethe selbst über Shakespeare schrieb: *Man kann über ihn gar nicht reden, es ist alles unzulänglich[11].* Mehr als hundert Jahre sind seit seinem Tode vergangen, sein Ansehen[12] und sein Einfluß sind in dieser Zeit ununterbrochen gestiegen und noch im Steigen begriffen.

[8]enthusiastic   [9]judgment

[10]ins Schwarze treffen, to hit the mark

[11]inadequate

[12]prestige

Für die *Deutschen* war er der Gipfel[13] ihrer Kultur. Vor der in erster Linie geistigen Katastrophe des zweiten Weltkrieges konnte man kaum ein Buch, eine Abhandlung[15], einen Zeitungsartikel über Literatur, Kunst, Philosophie, Soziologie, aber auch über Naturwissenschaften[1] lesen, keinen Vortrag hören, der sich nicht auf Goethe als den klassischen Zeugen[2] berufen[3] hätte. Es ist kein Zweifel, daß er in dem geistigen Wiederaufbau[4] Deutschlands die führende Rolle[5] spielen muß. —Die Goetheliteratur ist unübersehbar[6], kein Menschenleben würde ausreichen[7], um sie zu bewältigen[8].

Aber auch das *Ausland* hat er wie kein zweiter Deutscher erobert.

Den *Franzosen* steht er schon durch Napoleons Wertschätzung[9] und durch Gounods, Thomas' und Massenets Opern nahe[10]. Seine Hauptwerke[11] sind Pflichtlektüre[12] in allen Mittelschulen[13] Frankreichs.

In *Italien* kennt jeder die Stätten[14], an denen er geweilt[15]. Vom Monte Pincio blickt sein Denkmal auf Rom hinab.

In *England* haben ihn Thomas Carlyle, Walter Scott und Lord Byron noch bei seinen Lebzeiten[1] bekannt gemacht. Carlyle schrieb bei Goethes Tode die prophetischen Worte: *"In einigen fünfzig Jahren werden seine Gedanken übertragen und abgeschliffen sein bis zur Auffassungsfähigkeit der Tagespresse; Gesetze werden im Parlament in seinem Namen durchgehen."*[2]—Eine der ersten Goethe-Biographien, "The Life of Goethe", stammt von einem Engländer, George Henry Lewes (1885); sie wird noch heute, auch in deutscher Übersetzung, viel gelesen. Es gibt eine "English Goethe Society" (London und Glasgow), die Schriften über Goethe herausgibt[3]. Im Britischen Museum stehen mehr als vierzig verschiedene englische Übersetzungen des "Faust".

In *Amerika* ist Emersons und Longfellows

[13]climax, zenith

[15]treatise

[1]science

[2]witness, authority
[3]to refer to
[4]reconstruction
[5]the leading part
[6]immense
[7]to suffice
[8]to master

[9]esteem
[10]*nahe stehen,* to be closely attached
[11]principal works
[12]compulsory reading
[13]secondary schools
[14]places
[15]to stay

[1]in his lifetime

[2]"Some fifty years hence, his thinking will be found translated and ground down, even to the capacity of the diurnal press; acts of parliament will be passed in virtue of him."

[3]to publish

Wirken mit Goethes Namen verknüpft[4]. Die beste "Faust"-Übersetzung stammt von dem Amerikaner Bayard Taylor. Mitten im zweiten Weltkriege erschien eine neue amerikanische Übersetzung von C. F. Mac Intyre.—In vielen amerikanischen Städten stehen Goethedenkmäler. Die Goethe-Bibliothek der Yale University ist eine der größten der Welt. Sie enthält gegen 15.000 Werke der "Faust"-Literatur.[5]

Goethe selbst hat Amerika großes Interesse entgegengebracht[6]. Bekannt ist sein Gedicht:

> Amerika, du hast es beffer
> Als unfer Kontinent, der alte,
> Haft keine verfallenen Schlöffer
> Und keine Bafalte.
>
> Dich ftört nicht im Innern
> Zu lebendiger Zeit
> Unnützes Erinnern
> Und vergeblicher Streit.[7]

GOETHES LEBEN

Johann Wolfgang Goethe wurde am 28. August 1749 in *Frankfurt* am Main geboren. Er war jünger (25 Jahre) als Klopstock, Lessing (20), Wieland (16) und Herder (5), aber um 10 Jahre älter als Schiller. Seine Eltern waren wohlhabende Patrizier.. Was er ihnen verdankt, hat er in "Dichtung und Wahrheit" geschildert und in die Verse komprimiert[8]:

> *Vom Vater hab' ich die Statur,*
> *Des Lebens ernstes Führen,*
> *Vom Mütterchen die Frohnatur,*
> *Die Lust zum Fabulieren.*

Mit 16 Jahren ging der frühreife[9], belesene[10] Knabe, der natürlich perfekt Französisch, viel Latein und etwas Griechisch, Englisch und Italienisch konnte, an die Universität *Leipzig*, um Jus zu studieren. Die Studien, die er nicht sehr ernst nahm, wurden nach drei Jahren durch eine schwere

[4]to be connected

[5]items on "Faust"

[6]*Interesse entgegenbringen*, to be interested in

[7]America, thou art wiser far
Than this old world of ours.
Thou hast no crumbling castles
Nor old basaltic towers.

Thy inner being's not disturbed
In this thy busy life
With useless thoughts of bygone days
And unavailing strife.
(Translated by Bayard Taylor)

[8]to condense

[9]precocious
[10]well-read

102

Krankheit unterbrochen und erst im Jahre 1770 in *Straßburg* wieder aufgenommen[11]. Dort graduierte er und praktizierte ein Jahr am Reichsgericht[12] in *Wetzlar*.

Dann ließ er sich in *Frankfurt* als Advokat nieder. Die Jahre 1772 bis 1775 sind die dichterisch fruchtbarsten seines Lebens. Das Drama "Götz von Berlichingen" (1773) machte ihn in Deutschland, der Briefroman "Die Leiden des jungen Werthers" (1774) in der ganzen Welt bekannt.

Im Jahre 1775 lud ihn der junge Herzog *Karl August* nach *Weimar* ein. An einen Besuch hatte Goethe gedacht, es wurde ein Aufenthalt[13] fürs Leben daraus. Mit Ausnahme[14] der italienischen Reise (1786-1788) und kurzer Sommerfahrten—besonders nach der Schweiz und den böhmischen Bädern[15]— hat Goethe die kleine Stadt nicht mehr verlassen.

Mit großer Begeisterung wurde der Sechsundzwanzigjährige am Hofe in Weimar empfangen. Von der faszinierenden Wirkung, die der berühmte, lebhafte[1], geistreiche[2] und schöne Jüngling im persönlichen Verkehr[3] ausübte, können wir uns aus Wielands Schilderung einen Begriff[4] machen:

Mit seinem schwarzen Augenpaar,
Zaubernden[5] Augen mit Götterblicken,
Gleich mächtig zu töten und zu entzücken[6],
So trat er unter uns herrlich und hehr[7],
Ein echter Geisterkönig, daher.
So hat sich nie in Gottes Welt
Ein Menschensohn uns dargestellt[8].

Noch enthusiastischer heißt es in einem Brief: *"Heut war eine Stunde, wo ich ihn in seiner ganzen Herrlichkeit[9] sah; außer mir[10] kniet' ich neben ihm, drückte meine Seele an seine Brust und betete Gott an."* (Man bedenke, daß Wieland zu dieser Zeit ein reifer Mann von 42 Jahren und keineswegs ein Phantast war.) Diese persönliche Anziehungskraft hat Goethe bis in sein hohes Alter behalten.—

[11] *wiederaufnehmen*, to resume
[12] imperial court
[13] stay, residence
[14] with the exception of
[15] spa
[1] gay, vivacious [2] witty
[3] intercourse
[4] idea
[5] enchanting
[6] to charm, delight
[7] noble
[8] to represent
[9] glory [10] beside myself

103

Bald war Goethe der erste Mann im Herzogtum, Karl Augusts intimer Freund, Berater und Minister. Mit 30 Jahren war er Geheimer Rat[11] und mußte mit "Eure Exzellenz" angesprochen werden, drei Jahre später wurde er von Kaiser Joseph II. auf des Herzogs Ersuchen geadelt. Seine Amtsgeschäfte nahm Goethe sehr ernst, und er hat dem Lande große Dienste erwiesen. In den ersten zehn Weimarer Jahren trat seine dichterische Tätigkeit in den Hintergrund. Erst in Italien wurden die drei großen klassischen Dramen, "Iphigenie", "Egmont" und "Torquato Tasso", vollendet.

Im Jahre 1794 begann die Freundschaft zwischen Goethe und Schiller, die bis zu Schillers Tode im Jahre 1805 ungetrübt[12] fortdauerte und für beide Teile segensreich[13] war.

In diese Zeit fallen eine Reihe großer Werke, "Wilhelm Meisters Lehrjahre[14]", "Hermann und Dorothea", die Balladen und viel Arbeit am "Faust".

Im Jahre 1808 heiratete Goethe *Christiane Vulpius*, mit der er durch 20 Jahre in einer "Gewissensehe[15]" gelebt hatte.

Seit seiner Rückkehr von Italien (1788) hatte er sich von den Amtspflichten immer mehr zurückgezogen[16]. Nur die Leitung[1] des Weimarer Theaters, das er zur ersten Bühne Deutschlands machte, und das Unterrichtsministerium behielt er bei[2]. Die meiste Zeit widmete er seiner Dichtung und seinen Studien, die sich allmählich auf alle Gebiete menschlichen Interesses erstreckten[3]. Goethe war wohl der letzte Mensch, von dem man— wie früher von Francis Bacon und Leibniz —behaupten konnte, daß er das *gesamte Wissen seiner Zeit* in sich aufgenommen[4] hatte. Seine Beiträge[5] zur Botanik, Biologie, Optik und Geologie sind grundlegend[6] und heute noch von den Gelehrten anerkannt[7]. Unermüdlich[8] trägt er Stein um Stein zu der Pyramide seines Lebens zusammen.

So sehr war Goethe während der Napole-

[11]Privy Councillor

[12]unclouded
[13]propitious; a blessing

[14]apprenticeship

[15]*Gewissen*, conscience

[16]retire [1]management

[2]*beibehalten*, to retain

[3]to extend

[4]to absorb
[5]contributions
[6]fundamental
[7]*anerkennen*, to acknowledge, appreciate
[8]indefatigable

onischen Kriege mit seinen naturwissen-
schaftlichen Studien beschäftigt[9], daß man
um die Jahrhundertwende an seiner dichterischen Kraft zu zweifeln begann. Da erschienen—1808—der erste Teil "Faust", ein
Jahr später der Roman "Die Wahlverwandtschaften"[10], dann die Autobiographie "Aus
meinem Leben. Dichtung und Wahrheit"
und die Gedichtsammlung "Der west-östliche Diwan[11]". Sein Dichterruhm erhält
neue Nahrung.

Goethe hat alle seine Teuern überlebt[12],
Schiller, Herder und Wieland, den Herzog
und dessen Gemahlin, seine Frau und seinen
einzigen Sohn August. Einsam und auf
olympischer Höhe steht der alte Goethe da,
ein Gegenstand[13] der Verehrung und Bewun-
derung der ganzen Welt. Täglich treffen
Reisende aus allen Teilen der Erde in Weimar ein[14]. Wenn sie keine Audienz erhalten
können, stehen sie stundenlang vor seinem
Hause, um ihn vielleicht am Fenster zu
sehen.

Seine Arbeitskraft erlahmt[15] nicht. Der
Achtzigjährige veröffentlicht[1] die Fortset-
zung der "Lehrjahre", "Wilhelm Meisters
Wanderjahre"[1a]. Aber noch immer ist seine
"Hauptaufgabe" nicht erfüllt, das "Haupt-
geschäft" nicht beendet. Endlich ist der
zweite Teil des "Faust" fertig. Das Manu-
skript wird versiegelt[2], das Werk soll erst
nach seinem Tode erscheinen. Nun, so
glaubt er, hat er seine Aufgabe als Dichter
gelöst. Die Zeit, die ihm noch zu leben
gegönnt[3] ist, kann er *"als ein reines Geschenk ansehen"*. Lange sollte er sich dieses Geschenkes nicht erfreuen. Wenige
Monate später lag er auf der Bahre. Sein
Leichnam[4] wurde in der Fürstengruft[5] in
Weimar neben dem Sarge[6] Schillers bei-
gesetzt[7].

*Es wird die Spur von seinen Erdentagen
Nicht in Aeonen untergehn.*[8]

[9]busy

[10]Elective Affinities

[11]Turkish Council of State

[12]to outlive

[13]object

[14]*eintreffen,* to arrive

[15]to weaken
[1]to publish

[1a]apprentice years

[2]to seal

[3]to grant

[4]body
[5]tomb of the princes
[6]coffin
[7]to bury

[8]The traces cannot, of
his earthly being, in
æons perish.

Einige Zahlen mögen zeigen, wie gut ver-
käuflich[9] Goethes Werke in seiner Zeit waren.
Goethes letzter Verleger[10] war Cotta. Obwohl es damals sehr schwer war, sich gegen
unbefugte[11] Nachdrucke[12] zu schützen, da es
noch kein internationales Urheberrecht[13] gab,
und obwohl das Lesepublikum auf die sogenannten besseren Kreise beschränkt[14] war,
zahlte Cotta doch im Jahre 1807 für das
bloße Verlagsrecht[15] 10.000 Taler[1]. Für die
ersten Teile von "Dichtung und Wahrheit"
erhielt Goethe 12.000 Taler ausgezahlt. Für
die Gesamtausgabe[2], die durch besondere[3]
Privilegien der deutschen Fürsten geschützt
war, verlangte der Dichter 100.000 Taler;
man einigte sich auf 70.000.

Einfach und verhältnismäßig[4] ereignislos[5]
erscheint das äußere Leben Goethes. Um so
reicher war sein inneres Leben. Dies wird
uns aus seinen Werken klar werden; denn
seine Dichtungen sind, wie er selbst sagte,
"Gelegenheitsdichtungen" im besten Sinne
des Wortes, "Bruchstücke[6] einer großen
Konfession". Er brachte nur zum poetischen
Ausdruck, was er selbst empfand[7] und innerlich erlebte:

> "Und wenn der Mensch in seiner Qual[8]
>   verstummt,
> Gab mir ein Gott, zu sagen, was ich
>   leide."

Goethe schrieb *Gedichte* aller Art, vom
volkstümlichen Liebeslied und der Ballade
bis zum tiefen philosophischen Lehrgedicht[9];
Vers-Epen ("Hermann und Dorothea", "Rei-
neke Fuchs"); *Romane* ("Werther", "Wahlverwandtschaften", "Wilhelm Meister");
und *Dramen* ("Götz von Berlichingen", "Egmont", "Iphigenie", "Tasso", "Faust").
Diese Vielseitigkeit[10] ist sehr selten. Shakespeare, Calderon, Molière, Schiller, Grillparzer, Kleist, Hebbel, Ibsen waren nur als
Dramatiker groß; Shelley, Keats, Heine,
Lenau, Musset als Lyriker; Dickens, Victor

[9]good sellers
[10]publisher
[11]unauthorized
[12]reprint, piracy
[13]copyright
[14]limited
[15]publishing rights
[1]*in Kaufkraft* (purchasing power) *etwa* $60,000
[2]collected works
[3]special
[4]comparatively
[5]uneventful
[6]fragments
[7]*empfinden*, to feel
[8]anguish
[9]didactic poem
[10]versatility

106

Hugo, Dumas, Dostojewski, Tolstoj als Romandichter. Goethe hat Großes auf allen drei Gebieten geschaffen.

Alle Nationen haben auf jedem Gebiete der Dichtkunst vereinzelte[11] Meisterwerke zur Weltliteratur beigetragen. Dennoch ist kein Zweifel, daß im allgemeinen die Engländer und Skandinavier im Drama, die Franzosen und Russen im Roman und die Deutschen in der Lyrik führend sind. Der größte deutsche Lyriker aber ist unbestritten[12] *Goethe*.

[11]isolated, sporadic

[12]uncontested

GOETHE ALS LYRIKER
Liebeslyrik

Man nennt die lyrische Gattung, die um die Mitte des 18. Jahrhunderts herrschend war, *Anakreontik*[13]. Es waren leichte, spielerische, elegante Verse, triviale Liebes- und Trinklieder, der dichterische Ausdruck des Rokokozeitalters mit seiner tändelnden[14] Schäferromantik[15], die sich in der Innenarchitektur, in der Kleidung, in der Malerei und in den Formen des gesellschaftlichen Lebens ebenso kundgibt[1] wie in der Dichtung und Musik. Der junge Leipziger Student, ein echtes Kind seiner Zeit, machte[2] die Mode mit[2]. Er schrieb auch Verse, wie jedermann damals, und sie unterscheiden sich nicht viel von der Dutzendware[3] der Anakreontik.

Das folgende gehört zu den besten:

[13]Vgl. S. 31

[14]trifling

[15]pastoral romanticism

[1]to manifest

[2]*mitmachen,* to follow

[3]mass production

Wechsel

Auf Kieseln[4] im Bache[4] da lieg' ich, wie helle!
Verbreite[5] die Arme der kommenden Welle,
Und buhlerisch[6] drückt sie die sehnende[7] Brust;
Dann führt sie der Leichtsinn[8] im Strome darnieder;
Es naht sich die zweite, sie streichelt[9] mich wieder:
So fühl' ich die Freuden der wechselnden Lust.

Und doch, und so traurig, verschleifst[10] du vergebens
Die köstlichen[11] Stunden des eilenden Lebens,
Weil dich das geliebteste Mädchen vergißt!

[4]on pebbles in the brook

[5]to stretch
[5]full of amorous desire
[7]longing
[8]lightness, frivolity

[9]stroke, caress

[10]to let slip away

[11]precious

O, ruf sie zurücke, die vorigen Zeiten!
Es küßt sich so süße die Lippe der Zweiten,
Als kaum sich die Lippe der Ersten geküßt.

Eine schwere Krankheit unterbrach Goethes frohes Treiben[12] in Leipzig. Als Rekonvaleszent kehrte er ins Vaterhaus zurück. Aber wie alles in diesem einzigartigen[13] Leben wirkte sich auch diese Krankheit zum guten für ihn aus[14]. Er hatte Muße[15], zu sich selbst zu kommen, sich zu sammeln[1], sein eigenes Ich kennen zu lernen, das er bisher achtlos[2] an die Außenwelt[3] weggeworfen hatte. Er trat[4] in Verbindung[4] mit pietistischen Kreisen, deren ernste Lebensauffassung[5] wohltuend[6] auf ihn wirkte. Die zwei Jahre trugen außerdem viel zu seiner ungewöhnlichen[7] Belesenheit[8] bei[9].

Wir vernehmen[10] schon einen ernsteren Ton in dem Gedicht, mit dem er im Frühjahr 1770 Frankfurt verläßt, um in Straßburg seinen Doktor zu machen[11]:

Der Abschied[12]

Laß mein Aug' den Abschied sagen,
Den mein Mund nicht nehmen kann!
Schwer, wie schwer ist er zu tragen!
Und ich bin doch sonst ein Mann.

Traurig wird in dieser Stunde
Selbst der Liebe süßtes Pfand[13],
Kalt der Kuß von deinem Munde,
Matt[14] der Druck[15] von deiner Hand.

Sonst, ein leicht gestohlnes Mäulchen[1],
O wie hat es mich entzückt[2]!
So erfreuet uns ein Veilchen[3],
Das man früh im März gepflückt[4].

Doch ich pflücke nun kein Kränzchen[5],
Keine Rose mehr für dich.
Frühling ist es, liebes Fränzchen[6],
Aber leider Herbst für mich!

Nun ist Goethe innerlich reif für die beiden großen Erlebnisse[7], die er in *Straßburg* haben sollte, seine Bekanntschaft mit Herder und seine Liebe zu Friederike Brion.

---

[12]activity

[13]unique
[14]to work out
[15]leisure
[1]to compose oneself
[2]careless [3]external world
[4]to become affiliated

[5]outlook upon life
[6]beneficial
[7]unusual
[8]range of reading
[9]*beitragen,* to contribute
[10]to perceive

[11]to take his doctor's degree

[12]farewell

[13]pawn, pledge

[14]faint, feeble
[15]pressure

[1]kiss

[2]to delight

[3]violet

[4]to pick

[5]little wreath

[6]Frances

[7]experience

108

Herder wurde für Goethe nach seinem eigenen Ausspruch das *"bedeutendste[8] Ereignis, das die wichtigsten Folgen für mich haben sollte."* Herder erkannte bald das Genie des jungen Dichters, aber er sah, daß es in literarischen Konventionen befangen[9] war. Es war wohl Herders größtes Verdienst[10] um die deutsche Literatur, daß er diesem Genius zur Befreiung verholfen hat. Der Führer der "Sturm und Drang"-Bewegung vermittelte[11] dem aufhorchenden[12] und empfänglichen[13] Jünger[14] seine Lehren:

1. Ein Kunstwerk muß der spontane Ausdruck der Persönlichkeit sein, frei von aller Tradition und allen äußerlichen[15] Regeln.

2. Der Künstler muß sich ganz seinem Werke hingeben[1]. *"Was du tust, tue aus ganzer Seele, mit allen deinen Kräften."*

3. Echte Poesie findet man nicht bei den klügelnden[2] Franzosen, sondern bei Homer, Ossian, Shakespeare und im Volkslied.

Auch auf Goethes Charakterbildung hat die schonungslose[3] Kritik des um Jahre älteren Freundes entscheidenden[4] Einfluß genommen.

Die "Gelegenheit", an der Goethe seine neuen Ideen dichterisch erproben sollte, war seine Liebe zu *Friederike Brion*, der schönen Pfarrerstochter von Sesenheim. Die Gedichte, die dieser Leidenschaft ihre Entstehung verdankten, sind als

Friederikelieder

bekannt. Der Lyriker Goethe steht mit einem Male auf seiner Höhe. Es gibt wohl kaum Verse in irgendeiner Sprache, die so oft in Musik gesetzt worden sind; von manchen, wie dem "Mailied", sind mehr als hundert verschiedene Kompositionen bekannt. Beethoven und Schubert sind unter den Komponisten. Wie sehr unterscheiden sich diese Straßburger Gedichte von den anakreontischen Gedichten der Leipziger Zeit! Sie sind spontan, unmittelbar aus dem Leben

[8]important
[9]laboring under
[10]merit
[11]to bring home to
[12]to listen attentively
[13]impressionable
[14]disciple
[15]external
[1]to dedicate
[2]sophisticated
[3]unsparing
[4]decisive

109

entstanden. Der feurige Liebhaber findet ein Ventil[5] für seine überschäumenden[6] Gefühle in poetischen Bildern und in der Musik der Sprache. Dichten ist ihm eine Naturnotwendigkeit[7] geworden.

Einen seiner häufigen Ritte[8] nach Sesenheim schildert

[5]outlet   [6]exuberant

[7]absolute necessity

[8]ride (on horseback)

Willkommen und Abschied

Es schlug mein Herz, geschwind zu Pferde!
Es war getan, fast eh'[9] gedacht;
Der Abend wiegte[10] schon die Erde,
Und an den Bergen hing die Nacht;
Schon stand im Nebelkleid[11] die Eiche,
Ein aufgetürmter[12] Riese[13], da,
Wo Finsternis[14] aus dem Gesträuche[15]
Mit hundert schwarzen Augen sah.

[9]before

[10]to rock to sleep

[11]blanket of fog

[12]towering   [13]giant
[14]darkness
[15]shrubs, bushes

Der Mond von einem Wolkenhügel[1]
Sah kläglich[2] aus dem Duft[3] hervor;
Die Winde schwangen leise[4] Flügel[5],
Umsausten[6] schauerlich[7] mein Ohr;
Die Nacht schuf tausend Ungeheuer[8],
Doch frisch und fröhlich war mein Mut:
In meinen Adern[9], welches Feuer!
In meinem Herzen, welche Glut!

[1]hill of clouds

[2]miserable   [3]mist

[4]soft, gentle   [5]wing
[6]to roar around   [7]frightfully
[8]monster

[9]vein

Dich sah ich, und die milde Freude
Floß von dem süßen Blick auf mich;
Ganz war mein Herz an deiner Seite
Und jeder Atemzug[10] für dich.
Ein rosenfarbenes Frühlingswetter
Umgab das liebliche Gesicht,
Und Zärtlichkeit[11] für mich — ihr Götter!
Ich hofft' es, ich verdient' es nicht!

[10]breath

[11]tenderness

Doch ach, schon mit der Morgensonne
Verengt[12] der Abschied mir das Herz:
In deinen Küssen, welche Wonne!
In deinem Auge, welcher Schmerz!
Ich ging, du standst und sahst zur Erden,
Und sahst mir nach mit nassem Blick;
Und doch, welch Glück, geliebt zu werden!
Und lieben, Götter, welch ein Glück!

[12]to narrow, contract

Ganz vom frischen Hauche des Volkslieds umweht[13], ein einziger jubelnder[14] Aufschrei ist das

Mailied

Wie herrlich leuchtet
Mir[15] die Natur!
Wie glänzt die Sonne!
Wie lacht die Flur![1]

Es dringen[2] Blüten
Aus jedem Zweig
Und tausend Stimmen
Aus dem Gesträuch,

Und Freud' und Wonne
Aus jeder Brust.
O Erd', o Sonne,
O Glück, o Lust!

O Lieb', o Liebe!
So golden[3] schön,
Wie Morgenwolken
Auf jenen Höhn!

Du segnest herrlich
Das frische Feld,
Im Blütendampfe[4]
Die volle Welt.

O Mädchen, Mädchen,
Wie lieb' ich dich!
Wie blickt dein Auge!
Wie liebst du mich!

So liebt die Lerche[5]
Gesang und Luft,
Und Morgenblumen
Den Himmelsduft,

Wie ich dich liebe
Mit warmem Blut,
Die du mir Jugend
Und Freud' und Mut

Zu neuen Liedern
Und Tänzen gibst
Sei ewig glücklich,
Wie du mich liebst!

Ein anderes Gedicht aus dieser Zeit ist ganz zum Volkslied geworden, das

Heidenröslein[6]

Sah' ein Knab'[7] ein Röslein stehn,
Röslein auf der Heiden[8],
War so jung und morgenschön,
Lief er schnell, es nah zu sehn,
Sah's mit vielen Freuden.
Röslein, Röslein, Röslein rot,
Röslein auf der Heiden.

Knabe sprach: Ich breche dich,
Röslein auf der Heiden!
Röslein sprach: Ich steche[9] dich,
Daß du ewig[10] denkst an mich,
Und ich will's nicht leiden.
Röslein, Röslein etc.

Und der wilde Knabe brach
's Röslein auf der Heiden;
Röslein wehrte[11] sich und stach,
Half ihm doch kein Weh[12] und Ach[12],
Mußt' es eben[13] leiden.
Röslein, Röslein etc.

[6]Wild Rose
[7]boy, young man
[8]heath

[9]to prick
[10]always; *ein Ausdruck der Umgangssprache* (colloquial), *nicht symbolisch.*

[11]to defend o. s., resist
[12]woe and oh! (loud lamentations)
[13]Engl. colloq. "just"; *es war unvermeidlich* (inevitable)

Das "Heidenröslein" ist eines der verbreitetsten Volkslieder deutscher Zunge. Es hat alle charakteristischen Eigenschaften[14] eines echten[15] Volksliedes:

[14]peculiarity
[15]true

1. Es stellt eine einfache, alltägliche[1] Begebenheit, die jedes Kind wiederholt erlebt hat, dar.

[1]daily, common

2. Nur Handlung, keine Beschreibung[2], keine abstrakte Schilderung[3] von Gefühlen oder Gedanken ist gegeben[4].

[2]description
[3]representation
[4]to offer

3. Die Worte—mit der einzigen Ausnahme[5] von "morgenschön"—und die Satzkonstruktion sind die der Umgangssprache. Wir finden nur kurze, kompakte Hauptsätze[6]. Konjunktionen, Artikel, das einleitende[7] "es" sind vermieden[8]. In der vierten Zeile der ersten Strophe bezeichnet[9] die Inversion "lief er" die Abhängigkeit[10] des Satzes vom vorigen. Der Daß-Satz in II. 4 ist der Umgangssprache geläufig[11].

[5]exception

[6]principal clause
[7]preparatory
[8]to avoid, omit
[9]to indicate
[10]dependence

[11]familiar

4. Zur Verstärkung[12] und Verlebendi-

[12]intensification

gung[13] dienen der Dialog und der Refrain.

5. Die Darstellung ist ganz objektiv. Das "Ich" des Dichters mischt sich nicht ein[14].

6. Die erotische Symbolik ist klar. Trotzdem kann die Handlung auch in ihrem konkreten Sinne bestehen[15], und das Lied wird von Volksschulkindern[1] gesungen.

Die Autorschaft ist nicht über allen Zweifel erhaben[2]. Da aber Goethe das Gedicht, das zuerst in Herders Volkliedersammlung erschien, in seine Werke aufgenommen hat, wollen wir uns damit zufrieden geben[3].

Die Beziehungen zwischen Goethe und Friederike sollten nicht zu einem dauernden Glück führen. Der Zweiundzwanzigjährige, der finanziell vollständig von seinem Vater abhängig[4] war, und der wohl auch schon ahnte, daß er zu etwas Höherem berufen sei[5], konnte sich nicht an das kleinbürgerliche[6] Landmädchen binden. So tut Goethe zum erstenmal das, was er später oft wiederholte, wenn menschliche Verstrickungen[7] ihn zu hemmen[8] drohten[9],—er flieht[10]. Tragische Notwendigkeit[11] war diese Flucht; er hat sie sein Leben lang als eine *Schuld*[12] gefühlt und sich erst durch die Verklärung[13] Gretchens im zweiten Teil des "Faust" von seinen Selbstvorwürfen[14] befreit.

Im folgenden Jahre, 1772, lernte Goethe in Wetzlar die Braut seines Freundes Kestner, *Charlotte Buff*, kennen und verliebte sich leidenschaftlich in sie. Er war tief unglücklich und dachte an Selbstmord[15].

"*Aber der Dichter,*
Er genest[1],
Ihn rettet die Dichtkunst."
(F. Th. Vischer)

Nicht in Gedichten hat diesmal Goethe seine Gefühle ausströmen lassen. In dem mit seinem Herzblut geschriebenen Roman

Die Leiden des jungen Werthers

zeigt er, wohin ihn die Leidenschaft gebracht hätte, wenn er nicht stark genug

[13] vivification

[14] *sich einmischen* to interfere

[15] to exist, hold its own

[1] grade school children

[2] beyond doubt

[3] to be satisfied with

[4] dependent

[5] he felt that he was called

[6] lower middle class

[7] entanglement

[8] to restrict, limit, hem in

[9] to threaten

[10] to flee

[11] necessity

[12] guilt, sin

[13] transfiguration

[14] self-reproach

[15] suicide

[1] to grow well, recover

113

gewesen wäre, sie zu überwinden[2]. Obwohl der "Werther" als Roman angesehen wird, ist er doch seinem ganzen Wesen[3] nach lyrisch. Der Held, Werther, ein schwärmerischer[4], sentimentaler junger Mann, beschreibt in *Briefen* an einen Freund seine Stimmungen und Erlebnisse[5]. Er liebt die Braut—im zweiten Teil die Frau—eines andern. Er ist nicht imstande, sein Gefühl zu meistern.

[2] to overcome

[3] nature

[4] enthusiastic, fanciful

[5] *"Werthers Leiden" ist also ein Briefroman wie* Rousseaus *"Nouvelle Héloise" und* Richardson's "Clarissa Harlowe".

Aus „Werthers Leiden"

Am 10. Mai.

Eine wunderbare Heiterkeit[6] hat meine ganze Seele eingenommen[7], gleich den süßen Frühlingsmorgen, die ich mit ganzem Herzen genieße[8]. . . . Ich bin so glücklich, mein Bester[9], so ganz in dem Gefühle von ruhigem Dasein[10] versunken[11], daß meine Kunst darunter leidet. Ich könnte[12] jetzt nicht[12] zeichnen[13], nicht einen Strich[14], und bin nie ein größerer Maler gewesen, als in diesen Augenblicken. . . .

[6] serenity
[7] take possession
[8] to enjoy
[9] my dear friend
[10] existence   [11] absorbed
[12] I should be incapable
[13] to draw
[14] a single stroke

Am 17. Mai.

. . . Wenn du fragst, wie[15] die Leute hier sind, muß ich dir sagen: Wie überall![1] Es ist ein einförmiges[2] Ding[2] um das Menschengeschlecht[3]. Die meisten verarbeiten[4] den größten Teil der Zeit, um zu leben, und das bißchen[5], das ihnen von Freiheit übrig[6] bleibt[6], ängstigt[7] sie so, daß sie alle Mittel aussuchen, um es loszuwerden[8].

[15] what . . . like
[1] the same as everywhere!
[2] monotonous affair
[3] human race
[4] to labor
[5] the small portion
[5] to remain   [7] to trouble
[8] that they use every exertion to get rid of it

Am 16. Junius.

Warum ich dir nicht schreibe? . . . Du solltest raten[9], daß ich mich wohl befinde, und zwar— kurz[10] und gut[10], ich habe eine Bekanntschaft gemacht, die mein Herz näher angeht[11]. Ich habe —ich weiß nicht — . . . Ich bin vergnügt[12] und glücklich, und also kein guter Historienschreiber[13].

Einen Engel! Pfui![14] das sagt jeder von der Seinigen. Nicht wahr? Und doch bin ich nicht imstande, dir zu sagen, wie sie vollkommen ist, warum sie vollkommen ist; genug, sie hat allen meinen Sinn[15] gefangen genommen[15]. So viel Einfalt[1] bei so viel Verstand, so viel Güte[2] bei so viel Festigkeit[2], und die Ruhe der Seele bei

[9] you should have guessed
[10] in a word
[11] to concern, to have to do with
[12] cheerful
[13] story teller
[14] bah!

[15] captivated all my senses
[1] simplicity
[2] so kind and yet so resolute

114

dem wahren Leben und der Tätigkeit!! — . . .

Welch eine Wonne das für meine Seele ist, sie in dem Kreis der lieben, muntern[3] Kinder, ihrer acht Geschwister, zu sehen . . .

Da ich in die Tür trat, fiel mir das reizendste Schauspiel in die Augen[4], daß ich je gesehen habe. In dem Vorsaale[5] wimmelten[6] sechs Kinder, von elf zu zwei Jahren, um ein Mädchen von schöner Gestalt, mittlerer Größe, die ein simples weißes Kleid mit blaßroten[7] Schleifen[8] an Arm und Brust anhatte[9].—Sie hielt ein schwarzes[10] Brot[10] und schnitt ihren Kleinen rings herum jedem sein Stück nach Proportion ihres Alters und Appetits ab, gab's jedem mit solcher Freundlichkeit und jedes rief so ungekünstelt[11] sein: Danke! indem es mit den kleinen Händchen lange in die Höhe[12] gereicht[12], ehe es noch abgeschnitten war, und nun mit seinem Abendbrote vergnügt entweder wegsprang[13] oder, nach seinem stilleren Charakter, gelassen[14] davonging . . . Ich machte ihr ein unbedeutendes[15] Kompliment; meine ganze Seele ruhte[1] auf der Gestalt, dem Tone, dem Betragen[2] . . .

Wir traten an's Fenster. Es donnerte und der herrliche Regen säuselte[3] auf das Land, und der erquickendste[4] Wohlgeruch[5] stieg in aller Fülle einer warmen Luft zu uns auf. Sie stand, auf ihren Ellenbogen gestützt[6]; ihr Blick[7] durchdrang[7] die Gegend[8], sie sah gen[9] Himmel und auf mich; ich sah ihr Auge tränenvoll, sie legte ihre Hand auf die meinige und sagte: Klopstock! . . . Ich ertrug's[10] nicht, neigte[11] mich auf ihre Hand und küßte sie unter den wonnevollsten Tränen, und sah nach ihrem Auge wieder . . . .

Am 21. Junius.

Ich lebe so glückliche Tage, wie Gott sie seinen Heiligen[12] ausspart[13]; und mit mir mag werden, was will, so darf ich nicht sagen, daß ich die Freuden, die reinsten Freuden des Lebens nicht genossen habe . . .

Am 1. Julius.

Was Lotte einem Kranken sein muß, fühl' ich an meinem eigenen armen Herzen, das übler dran

[3]lively

[4]I saw before me the most charming spectacle
[5]hall   [6]to run about

[7]pink   [8]ribbon
[9]to wear   [10]rye bread

[11]unaffected

[12]to stretch out

[13]to run away
[14]calm, composed (*Goethes Lieblingswort*)
[15]meaningless
[1]to repose, be absorbed
[2]manner

[3]to rustle
[4]refreshing   [5]odors
[6]leaning
[7]her eyes wandered over
[8]scenery
[9]towards (*gegen*)

[10]*ertragen*, to bear
[11]to bend

[12]saint   [13]to reserve

115

ift, als manches, das auf dem Siechbette[14] verschmachtet[15] . . . O der Engel! Um deinetwil-
len muß ich leben! . . .

Am 10. Julius.

Die alberne Figur[1], die ich mache[1], wenn in
Gesellschaft[2] von ihr gesprochen wird, solltest du
sehen! Wenn man mich nun gar[3] fragt, wie sie
mir gefällt?[4] Gefällt! Das Wort hasse ich auf
den Tod. Was muß das für[5] ein Mensch sein,
dem Lotte gefällt, dem sie nicht alle Sinne, alle
Empfindungen ausfüllt! Gefällt! Neulich[6]
fragte mich einer, wie mir Ossian gefiele! . . .

Am 13. Julius.

Nein, ich betrüge[7] mich nicht! Ich lese in ihren
schwarzen Augen wahre Teilnahme[8] an mir und
meinem Schicksal. Ja, ich fühle, und darin darf
ich meinem Herzen trauen, daß sie — o darf ich,
kann ich den Himmel in diesen Worten aus=
sprechen? — daß sie mich liebt!

Mich liebt! — Und wie wert ich mir selbst
werde, wie ich — dir darf ich's wohl sagen, du
hast Sinn[9] für so etwas—wie ich mich selbst
anbete[10], seitdem sie mich liebt! . . .

Am 18. Julius.

Wilhelm, was ist unserm Herzen die Welt
ohne Liebe! Was eine Zauberlaterne[11] ist ohne
Licht! Kaum bringst du das Lämpchen[12] hinein,
so scheinen dir die buntesten[13] Bilder an deine
weiße Wand! Und wenn's nichts wäre als das,
als vorübergehende[14] Phantome, so macht's doch
immer unser Glück, wenn wir wie frische[15] Jungen
davor stehen und uns über die Wundererschei-
nungen entzücken . . .

Am 30. Julius.

Albert[1] ist angekommen, und ich werde gehen;
und wenn er der beste, der edelste Mensch
wäre, . . . so wär's unerträglich[2]. ihn vor meinem
Angesicht im Besitz so vieler Vollkommenheiten
zu sehen.

(Werther lernt Albert schätzen[3]. Sie sind
Freunde. Die Lage[4] wird dadurch noch un-
haltbarer[5]. Endlich entschließt sich Werther, einen Posten bei einer Gesandtschaft[6],

116

---

[14]sickbed
[15]to languish

[1]what a foolish figure
    make
[2]company
[3]even
[4]how I like her
[5]what kind of

[6]the other day, lately

[7]to deceive
[8]interest, sympathy

[9]understanding

[10]to adore

[11]magic lantern
[12]little lamp
[13]bright

[14]fleeting
[15]gay

[1](*Lottes Bräutigam*)

[2]unbearable

[3]to appreciate
[4]situation
[5]untenable
[6]embassy

fern von Lottes Wohnort, anzunehmen. Er hält es dort nur wenige Monate aus[7]. Er kommt[8] mit dem Gesandten nicht aus[8]. Der Hochmut[9] der aristokratischen Gesellschaft treibt[10] ihn fort[10]. Er versucht, sich irgendwo ruhig niederzulassen. Aber es zieht ihn in Lottes Nähe. Sie hat inzwischen Albert geheiratet.)

Am 18. Julius.

Wo ich hin will? . . . Ich will nur Lotten wieder näher, das ist alles. Und ich lache über mein eigenes Herz—und tue ihm seinen Willen[11].

Am 3. September.

Ich begreife manchmal nicht, wie sie ein anderer lieb haben k a n n, lieb haben d a r f, da ich so ganz allein, so innig[12], so voll liebe, nichts anderes kenne, noch weiß, noch habe, als sie.

Am 10. Oktober.

Wenn ich nur ihre schwarzen Augen sehe, ist mir es schon wohl[13]! Sieh, und was mich verdrießt[14], ist, daß Albert nicht so beglückt zu sein scheint, als er—hoffte, als ich—zu sein glaubte[15], wenn — — Ich mache nicht gern Gedankenstriche[1], aber hier kann ich mich nicht anders ausdrücken — und mich dünkt[2], deutlich genug. . . .

Am 22. November.

Ich kann nicht beten: Laß mir sie! und doch kommt sie mir oft als die Meine vor[3]. Ich kann nicht beten: Gib mir sie! denn sie ist eines andern.

Am 4. Dezember.

Ich bitte dich!—Siehst du, mit mir ist's aus[4], ich trag' es nicht länger! . . . Gott! du siehst mein Elend[5] und wirst es enden . . .

Ein Nachbar sah den Blitz vom Pulver und hörte den Schuß fallen. Da aber alles stille blieb, achtete er nicht weiter darauf. . . .

Als der Medicus zu dem Unglücklichen kam, fand er ihn auf der Erde, ohne Rettung . . . Über dem rechten Auge hatte er sich durch den Kopf geschossen . . . Er lag gegen das Fenster auf dem Rücken, war in völliger Kleidung, gestiefelt[6], im blauen Frack mit gelber Weste. . . . Von dem Weine hatte er nur ein Glas getrunken.

[7]*aushalten*, to bear
[8]to get along with
[9]arrogance
[10]to chase away
[11]I let it have its own way
[12]devotedly
[13]I am happy
[14]what grieves me
[15]as I believed I would be
[1]dash
[2]it seems to me
[3]*es kommt mir vor*, it seems to me
[4]it is all over with me
[5]misery
[6]booted

„Emilia Galotti" lag auf dem Pulte[7] aufgeschla=
gen[8]. Von Alberts Bestürzung[9], von Lottes Jam=
mer[10] laßt mich nichts sagen!

Der alte Amtmann[11] kam auf die Nachricht
hereingesprengt[12]; er küßte den Sterbenden unter
den heißesten Tränen. Seine ältesten Söhne
kamen bald nach ihm zu Fuße; sie fielen neben
dem Bette nieder, . . . küßten ihm die Hände
und den Mund, und der älteste, den er immer am
meisten geliebt, hing an seinen Lippen, bis er
verschieden[13] war und man den Knaben mit Ge=
walt wegriß. Um zwölf mittags starb er. Die
Gegenwart des Amtmannes tuschte[14] einen
Auflauf[15]. Nachts gegen elf, ließ er ihn an der
Stätte begraben, die er sich erwählt hatte. Der
Alte folgte der Leiche und die Söhne. Albert
vermochte es nicht[1]. Man fürchtete für Lottes
Leben. Handwerker trugen ihn. Kein Geist=
licher hat ihn begleitet.

Der Roman erschien im Jahre 1774. Der
Name Goethes war schon ein Jahr früher
durch das Drama "Götz von Berlichingen"
bekannt geworden. Der Erfolg des "Werther" aber ist ohne Beispiel in der Literaturgeschichte. Seine Wirkung ging weit
über Deutschland hinaus. In allen Sprachen
erschienen Übersetzungen und Nachahmungen, in allen Zeitungen, Zeitschriften und
in allen Salons der Welt wurde das Werk
und das Problem des Selbstmordes erörtert[2].
Die "Werthertracht"—blauer Frack, gelbe
Weste und Stiefel—wurde die Mode der europäischen Stutzer[3], und die Pariserinnen
trugen Hüte "à la Charlotte". Die Chinesen
malten Szenen aus dem Buch auf ihre
Vasen. Bedenklicher[4] war es, daß sich die
Selbstmorde häuften[5]. Einige Staaten ver-
boten deshalb den Verkauf des Romans.
Goethe sah[6] sich genötigt[6], eine spätere
Auflage[7] mit ein paar warnenden Versen
einzuleiten:

Sieh, dir winkt sein Geist aus seiner
   Höhle[8]:
Sei ein Mann und folge mir nicht nach!

---

[7]desk

[8]open   [9]consternation
[10]despair

[11]magistrate (*Lottes Vater*)
[12]at a gallop

[13]to expire, depart

[14]to prevent
[15]disturbance

[1]could not

[2]to discuss

[3]dandy

[4]more serious
[5]to increase

[6]found it necessary
[7]edition

[8]cave

118

Kurze Zeit nach dem Erscheinen [8a] des "Werther" verlobte[9] sich der nun weltberühmte junge Rechtsanwalt[10] mit der 17-jährigen schönen Frankfurter Bankierstochter *Lili Schönemann*. Viele Jahre später hat er von ihr gesagt: *"Sie war die erste, die ich tief und wahrhaft liebte."*[11] Aber auch diese Liebe war nicht ohne *"mancherlei Pein"*[12]. Glücklicherweise war es ihm zur zweiten Natur geworden, *"dasjenige, was mich erfreute oder quälte oder sonst[13] beschäftigte[14], in ein Bild, ein Gedicht zu verwandeln[15] und darüber mit mir selbst abzuschließen[1] . . .".* Wir verdanken[2] dieser Gewohnheit[3] die wundervollen

[8a]publication
[9]to become engaged
[10]attorney at law

[11]*Der berühmte Goethe-Kommentator Düntzer machte dazu die bekannte Anmerkung: "Hier irrt Goethe."*
[12]various troubles

[13]otherwise

[14]to occupy

[15]to transform

[1]to settle accounts [2]to owe

[3]habit

Lililieder

Neue Liebe, neues Leben

Herz, mein Herz, was soll das geben[4]?
Was bedränget[5] dich so sehr?
Welch ein fremdes, neues Leben!
Ich erkenne[6] dich nicht mehr.
Weg[7] ist alles, was du liebtest,
Weg, warum du dich betrübtest[8],
Weg dein Fleiß und deine Ruh'—
Ach, wie kamst[9] du nur dazu!

[4]what will come of this?
[5]to trouble

[6]to recognize
[7]gone, lost
[8]to grieve

[9]how did it happen to you?

Fesselt[10] dich die Jugendblüte,
Diese liebliche Gestalt,
Dieser Blick voll Treu' und Güte
Mit unendlicher Gewalt?
Will ich rasch mich ihr entziehen[11],
Mich ermannen[12], ihr entfliehen,
Führet mich im Augenblick,
Ach, mein Weg zu ihr zurück.

[10]to captivate, arrest

[11]to escape from
[12]to pull o.s. together

Und an diesem Zauberfädchen[13],
Das sich nicht zerreißen läßt,
Hält das liebe lose[14] Mädchen
Mich so wider Willen[15] fest;
Muß in ihrem Zauberkreise[1]
Leben nun auf ihre Weise[2].
Die Veränderung, ach, wie groß!
Liebe! Liebe! laß mich los!

[13]magic little thread

[14]naughty

[15]against my will
[1]magic circle

[2]in her way, style
Oft vertont, u. a. (= unter andern, among others) *von Beethoven*

119

An Belinden

Warum ziehst du mich unwiderstehlich[3],
Ach, in jene Pracht[4]?
War ich guter Junge nicht so selig[5]
In der öden[6] Nacht?

Heimlich in mein Zimmerchen verschlossen'[7],
Lag im Mondenschein,
Ganz von seinem Schauerlicht umflossen[8],
Und ich dämmert' ein[9];

Träumte da von vollen goldnen Stunden
Ungemischter [9a] Lust,
Hatte schon dein liebes Bild empfunden
Tief in meiner Brust.

Bin ich's noch, den du bei so viel Lichtern
An dem Spieltisch[10] hältst?
Oft so unerträglichen[11] Gesichtern
Gegenüberstellst[12]?

Reizender[13] ist mir des Frühlings Blüte
Nun nicht auf der Flur;
Wo du, Engel, bist, ist Lieb' und Güte,
Wo du bist, Natur.

[3]irresistible
[4]splendor, glamor
[5]happy
[6]dull, desolate
[7]locked up
[8]enveloped in gloomy light
[9]fall into a slumber
[9a]unmixed
[10]card-table
[11]intolerable
[12]to confront
[13]more attractive

Um seine Ruhe wiederzugewinnen[14], macht er eine Reise nach der Schweiz. Aber das Bild des geliebten Mädchens folgt ihm:

[14]to regain

Vom Berge

Wenn ich, liebe Lili, dich nicht liebte,
Welche Wonne gäb' mir dieser Blick!
Und doch, wenn ich, Lili, dich nicht liebte,
Fänd' ich hier und fänd ich dort mein Glück?

Die Verlobung wird gelöst[15]. Goethe kann sich nicht zu einem philiströsen[1] Gesellschaftsleben in Frankfurt entschließen. Deshalb wohl nimmt er so freudig die Einladung des Herzogs von Weimar an. Lili ist freilich noch immer in seinem Herzen:

[15]to break
[1]Philistine, narrow-minded

An ein goldnes Herz, das er am Halse trug.

Angedenken[2] du verklungner[3] Freude,
Das ich immer noch am Halse trage,
Hältst du länger als das Seelenband[4] uns beide?
Verlängerst[5] du der Liebe kurze Tage?

[2]remembrance
[3]to fade away
[4]tie of souls
[5]to prolong

120

Flieh' ich, Lili, vor dir! Muß noch an deinem
    Bande
Durch fremde Lande,
Durch ferne Täler und Wälder wallen[6]!
Ach, Lilis Herz konnte so bald nicht
Von meinem Herzen fallen.

Wie ein Vogel, der den Faden bricht
Und zum Walde kehrt[7],
Er schleppt[8] des Gefängnisses[9] Schmach[10],
Noch ein Stückchen des Fadens nach[8];
Er ist der alte freigeborne[11] Vogel nicht,
Er hat schon jemand angehört[12].

[5]to wander

[7]to return

[8]to drag after   [9]prison
[10]shame

[11]free-born

[12]to belong to

Wenn die Lililieder trotz ihrer künstlerischen Vollendung nicht ganz so populär sind wie die Friederikelieder, so liegt der Grund wohl darin, daß sie mehr persönliches Detail enthalten und ohne die Kenntnis von Goethes Leben nicht voll gewürdigt[13] werden können.

[13]to appreciate

In *Weimar* trat Goethe eine Frau entgegen, die durch 12 Jahre sein ganzes Sein[14] beherrschen sollte, *Charlotte von Stein*. Sie war sieben Jahre älter als er, keine blendende[15] Schönheit, nicht ungewöhnlich geistvoll[1], die Frau eines Hofbeamten und Mutter mehrerer Kinder. Doch sie war die einzige, die nicht den berühmten Dichter, den geistreichen Plauderer[2], den glänzenden Gesellschafter[3], wohl auch nicht den schönen Mann suchte, sondern sich in den Menschen Goethe einzufühlen[4] verstand und ihm das brachte, was er am heißesten ersehnte, innere Ruhe, Seelenfrieden:

[14]being

[15]brilliant
[1]gifted

[2]chatterer

[3]man of society

[4]to have a sympathetic
  understanding

Tropftest[5] Mäßigung[6] dem heißen Blute,
Richtetest[7] den wilden, irren Lauf,
Und in deinen Engelsarmen ruhte
Die zerstörte[8] Brust sich wieder auf.

[5]to drop   [6]moderation

[7]to set right

[8]broken

"Ich bitte Dich fußfällig[9], vollende Dein Werk, mache mich recht gut!"—heißt es in einem der vielen hundert Briefe an die geliebte Freundin.
So wunderbar erschien ihm ihr Verständ-

[9]on my knees

121

nis für seine Eigenart[10], daß er die Theorie der Seelenwanderung[11] zur Erklärung heranzieht[12]:

[10]individuality
[11]transmigration of souls
[12]to resort to

Ach, du warst in abgelebten[13] Zeiten
Meine Schwester oder meine Frau.

[13]vanished, dead

Jägers Abendlied

Im Felde schleich'[14] ich still und wild[15]
Gespannt[1] mein Feuerrohr[2],
Da schwebt[3] so licht dein liebes Bild,
Dein süßes Bild mir vor[3].

. . . . .

Mir ist es[4], denk' ich nur an dich,
Als in den Mond zu sehn;
Ein stiller Friede kommt auf mich,
Weiß nicht, wie mir geschehn.

[14]to prowl
[15]fierce (bent on slaughter)
[1]to cock
[2]gun
[3]to hover before

[4]it seems to me

Wanderers Nachtlied I

Der du von dem Himmel bist,
Alles Leid und Schmerzen stillest[5],
Den, der doppelt elend ist,
Doppelt mit Erquickung[6] füllest,
Ach, ich bin des Treibens[7] müde!
Was soll all der Schmerz und Lust?
Süßer Friede,
Komm, ach komm in meine Brust!

[5]to soothe

[6]refreshment, comfort
[7]doings, activity

Musik von Reichardt, Schubert, Schumann und Liszt

Wanderers Nachtlied II

Über allen Gipfeln
Ist Ruh,
In allen Wipfeln[8]
Spürest[9] du
Kaum einen Hauch[10];
Die Vögelein schweigen im Walde.
Warte nur, balde
Ruhest du auch.

[8]tree-top
[9]to feel
[10]breath

Mit Bleistift an die Wand eines herzoglichen Jagdhauses (ducal hunting-lodge) *geschrieben*

Nicht nur in der Lyrik, in fast allen Dichtungen der ersten zehn Jahre in Weimar sehen wir den Einfluß der Frau von Stein. Sie ist seine Iphigenie, seine Prinzessin im "Tasso".

Freilich gehört die Zeit von 1775-1786 n i c h t zu den dichterisch fruchtbaren. Die Briefe und Zettel[11], die er, obwohl sie einander sehr häufig sehen, fast täglich an Char-

[11]slip, note

lotte schickt, treten[12] an die Stelle[12] der Gedichte. Da finden sich Stellen[13] wie: *"Sag mir ein freundlich Wort, damit ich zum Leben gestärkt[14] werde."* . . . *"Meine Seele ist fest an die Deine angewachsen[15], ich mag keine Worte machen, Du weißt, daß ich von Dir unzertrennlich[1] bin, und daß weder Hohes noch Tiefes mich zu scheiden vermag . . ."* Für Dichtung und Wissenschaft fand er kaum die richtige Sammlung[2]. Zu sehr war er durch die Amtsgeschäfte und das Hofleben in Anspruch[3] genommen[3].

[12]to replace
[13]passage
[14]to strengthen
[15]to grow upon
[1]inseparable
[2]composure
[3]he was too much taxed

Endlich wird das Gefühl, daß er aus diesen Verhältnissen hinaus muß, daß er neuer Anregungen[4] bedarf, übermächtig[5], und er entschließt sich zur Flucht. *"Hätte ich nicht den Entschluß gefaßt, den ich jetzt ausführe, so wäre ich rein zugrunde gegangen[6] und zu allem unfähig geworden,"* schreibt er an Frau von Stein.

[4]stimulation
[5]overwhelming
[6]to be ruined

Der zweijährige *Aufenthalt in Italien* ist von größter Bedeutung für den Künstler und Menschen. Er bezeichnet ihn als "wahre Wiedergeburt[7]". Die drei großen Dramen ("Egmont", "Iphigenie" und "Torquato Tasso") werden vollendet, manche Szenen des "Faust" werden geschrieben und die erste Gesamtausgabe kommt heraus.

[7]rebirth

Unwillig[8] kehrte Goethe nach Weimar zurück, dem Hofe ein wenig, Frau von Stein fast völlig entfremdet[9]. Ein einfaches Bürgermädchen, das an Bildung und gesellschaftlicher Stellung weit unter ihm stand[10], *Christiane Vulpius*, wird seine Lebensgefährtin[11]. Ihr sind einige der "Römischen Elegien" gewidmet, die sich leider nicht in den Rahmen dieser Anthologie fügen[12]. Am schönsten jedoch hat er das Erlebnis am fünfundzwanzigsten Jahrestag[13] seiner Verbindung[14] mit Christiane geschildert:

[8]reluctantly
[9]to alienate
[10]far below him in breeding and social station
[11]companion through life
[12]to fit
[13]anniversary
[14]union

Gefunden

Ich ging im Walde
So für mich hin[15],
Und nichts zu suchen,
Das war mein Sinn.

Im Schatten sah ich
Ein Blümchen stehn,
Wie Sterne leuchtend,
Wie Äuglein schön.

Ich wollt' es brechen,
Da sagt' es fein:
Soll ich zum Welken[1]
Gebrochen sein?

Ich grub's mit allen
Den Würzlein[2] aus,
Zum Garten trug ich's
Am hübschen[3] Haus

Und pflanzt' es wieder
Am stillen Ort;
Nun zweigt[4] es immer
Und blüht so fort.

[15]aimlessly

[1]to wither

[2]root

[3]pretty

[4]to branch out

Ist es nicht erstaunlich, wie der Dichter mehr als vierzig Jahre nach dem "Heidenröslein" wieder einen echten Volkston zum Klingen bringt?

Nach Schillers Tode, der ihn *"der Hälfte seines Daseins beraubt"*, hat Goethe sich immer mehr eingeschlossen[4a] und ganz seinen Studien hingegeben. Doch sein Herz bleibt ewig jung. Seiner Liebe zu *Minna Herzlieb* verdanken wir nebst den "Wahlverwandtschaften" die schönen *Sonette*.

[4a]shut himself away

Freundliches Begegnen[5]

Im weiten Mantel bis ans Kinn verhüllet[6],
Ging ich den Felsenweg, den schroffen[7], grauen,
Hernieder dann zu winterhaften Auen[8],
Unruh'gen Sinns, zur nahen Flucht gewillet[9].

Auf einmal schien der neue Tag enthüllet[10]:
Ein Mädchen kam, ein Himmel anzuschauen,
So musterhaft[11] wie jene lieben Frauen
Der Dichterwelt. Mein Sehnen war gestillet.

[5]pleasant meeting
[5]to wrap up
[7]rough; steep
[8]meadow (watered by a brook)
[9]ready

[10]to unveil

[11]perfect

124

Doch wandt'[12] ich mich hinweg[12] und ließ sie gehen
Und wickelte[13] mich enger[14] ın die Falten[15],
Als wollt' ich truzend[1] in mir selbst erwarmen.
Und folgt' ihr doch. Sie stand. Da war's ge=
schehen!
In meiner Hülle[2] konnt' ich mich nicht halten,
Die warf ich weg, sie lag in meinen Armen.

- [12] to turn aside
- [13] twist, wrap
- [14] tight   [15] fold
- [1] defiant, obstinate

- [2] covering

Auch dem 65 - jährigen erblüht noch ein neuer, kurzer Liebesfrühling; denn es ist kein Zweifel, daß *Marianne Willemer* ihn wiedergeliebt hat. Der *"West-östliche Di-wan"*, die Gedichtsammlung in persischem Gewande, wird um das herrliche "Buch Su-leika" bereichert:

Hatem

Locken, haltet mich gefangen
In dem Kreise des Gesichts!
Euch geliebten braunen Schlangen
Zu erwidern[3] hab' ich nichts.

- [3] to return

Nur dies Herz, es ist von Dauer[4],
Schwillt[5] in jugendlichstem Flor[6].
Unter Schnee und Nebelschauer
Rast[7] ein Ätna[8] dir hervor.

- [4] permanence
- [5] *schwellen*, to swell
- [5] bloom, blossom
- [7] to rage
- [8] Etna

Du beschämst[9] wie Morgenröte [9a]
Jener Gipfel ernste Wand,
Und noch einmal fühlet Hatem
Frühlingshauch und Sommerbrand.

- [9] to make ashamed
- [9a] morning glow

Schenke, her![10] Noch eine Flasche!
Diesen Becher[11] bring[12] ich ihr[12].
Findet sie ein Häufchen[13] Asche,
Sagt sie: Der verbrannte[14] mir[15].

- [10] Here, waiter!
- [11] cup
- [12] drink to her (health)
- [13] small heap
- [14] to burn
- [15] for me

Aber noch immer *"schläft er auf einem Vulkan"*. Noch einmal kommt dieser zum heftigsten[1] Ausbruch[2]: der Dreiundsiebzig-jährige verliebt sich in die achtzehnjährige *Ulrike v. Levetzow* und macht[3] ihr einen Heiratsantrag[3]. Er hat nie einen eigentli-chen[4] Korb[5] bekommen[5]. Aber er mußte bald selbst die Unmöglichkeit einer Verbindung einsehen und hat sich unter schweren inneren Kämpfen zur Entsagung[6] durch-gerungen[7]. Seine Leiden hat er in einem tief

- [1] violent
- [2] eruption
- [3] to propose
- [4] actual
- [5] to meet with a refusal
- [6] resignation
- [7] *sich durchringen,* to fight one's way through

125

erschütternden[8] Gedichte, dem einzig tragi- | [8]deeply moving
schen, das wir von ihm haben, geschildert:

Elegie[9]

[9]elegy (a mournful poem)

> Und wenn der Mensch in seiner Qual
>   verstummt,
> Gab mir ein Gott zu sagen, was ich
>   leide.

Was soll ich nun vom Wiedersehen hoffen,
Von dieses Tages noch geschloßner Blüte?[10] — [10](*Es ist früh morgens*)
Das Paradies, die Hölle steht dir offen;
Wie wankelsinnig[11] regt[12] sich's im Gemüte! — — [11]irresolutely [12]to move
Kein Zweifeln mehr! Sie tritt ans Himmelstor,
Zu ihren Armen hebt sie dich empor.

So warst du denn im Paradies empfangen,
Als wärst du wert des ewig schönen Lebens;
Dir blieb kein Wunsch, kein Hoffen, kein Ver=
      langen,
Hier war das Ziel des innigsten Bestrebens,
Und in dem Anschaun dieses einzig Schönen
Versiegte[13] gleich der Quell sehnsücht'ger[14] — [13]dry up [14]yearning
      Tränen.

. . . . .

Wie zum Empfang[15] sie an den Pforten[1] weilte — [15]welcome [1]door
Und mich von dannauf[2] stufenweis[3] beglückte; — [2]from there on [3]gradually
Selbst nach dem letzten Kuß mich noch ereilte[4], — [4]to overtake
Den letzteften[5] mir auf die Lippen drückte: — [5]*kindlicher Superlativ*
So klar beweglich bleibt das Bild der Lieben
Mit Flammenschrift ins treue Herz geschrieben.

. . . . .

Dem Frieden Gottes, welcher euch hernieden[6] — [6]on earth
Mehr als Vernunft beseliget[7]—wir lesen's— — [7]make happy
Vergleich' ich wohl der Liebe heitern Frieden
In Gegenwart des allgeliebten Wesens;
Da ruht das Herz, und nichts vermag zu stören
Den tiefsten Sinn, den Sinn, ihr zu gehören.

In unsers Busens Reine wogt[8] ein Streben, — [8]to wave
Sich einem Höhern, Reinern, Unbekannten
Aus Dankbarkeit freiwillig[9] hinzugeben, — [9]voluntary
Enträtselnd[10] sich den ewig Ungenannten: — [10]to unravel
Wir heißen's: fromm sein! — Solcher sel'ger
      Höhe
Fühl' ich mich teilhaft[11], wenn ich vor ihr stehe. — [11]participating in

. . . . .

126

Nun bin ich fern! Der jeßigen Minute,
Was ziemt[12] denn der? Ich müßt' es nicht zu
                                        jagen.
Sie bietet mir zum Schönen manches Gute,
Das laſtet[13] nur, ich muß mich ihm entſchlagen[14];
Mich treibt umher ein unbezwinglich[15] Sehnen,
Da bleibt kein Rat als grenzenloſe Tränen.

. . . . . .

Verlaßt mich hier, getreue Weggenoſſen[1]!
Laßt mich allein am Fels, in Moor und Moos!
Nur immerzu! euch iſt die Welt erſchloſſen[2],
Die Erde weit, der Himmel hehr[3] und groß;
Betrachtet, forſcht, die Einzelheiten[4] ſammelt,
Naturgeheimnis werde nachgeſtammelt[5].

Mir iſt das All, ich bin mir ſelbſt verloren,
Der ich noch erſt den Göttern Liebling war;
Sie prüften mich, verliehen mir Pandoren[6],
So reich an Gütern, reicher an Gefahr;
Sie drängten mich zum gabeſel'gen[7] Munde,
Sie trennen mich und richten mich zugrunde.

[12]to be fitting for

[13]press heavily
[14]to seek release
[15]invincible

[1]companions; *Goethe hatte zwei Assistenten. Seine Verzweiflung* (despair) *ist so groß, daß er auch zur wissenschaftlichen Arbeit unfähig ist.*
[2]open [3]sublime [4]details
[5]haltingly repeated

[6]*Die Göttin Pandora hatte eine Büchse* (box), *in der alle guten und bösen Gaben enthalten waren*
[7]blessed with giving

Anmerkung: "Goethe suffered deeply from his disappointment. He had been regarded as the favorite of the gods, endowed with perpetual youth. He realized for the first time fully that he too was subject to the common law of nature . . . It was to him equivalent to his final expulsion from the house of life. — This cry of an old man, who is done with the world, not through spiritual decrepitude but through the mere physical inadequacy of nature, is without a touch of disgusting or ludicrous sentimentality. It is not the voice of a morbid or unbecoming senile desire, but the tragic rebellion of an unconquered spirit against the tyranny of earth. The immortality of the spirit shines forth from this poem with a noble and heartening force." (Martin Schütze, Ph.D., Goethe's Poems, Ginn and Company 1916.)

Epische Gedichte

Nicht minder groß als in der Gefühlslyrik ist Goethe als Balladendichter. Das eigentliche Balladenjahr für Goethe und Schiller ist das Jahr 1797, da die beiden für Schillers Musenalmanach um die Wette[8] dichteten. Von den etwa dreißig *Balladen* Goethes mögen wenigstens drei ihren Platz hier finden.

[8]in competition

Erlkönig[9]

Wer reitet ſo ſpät durch Nacht und Wind?
Es iſt der Vater mit ſeinem Kind;
Er hat den Knaben wohl in dem Arm,
Er hält ihn ſicher, er hält ihn warm.

[9]king of the elves

Mein Sohn, was birgst[10] du so bang[11] dein
    Gesicht?
Siehst, Vater, du den Erlkönig nicht?
Den Erlenkönig mit Kron' und Schweif[12]?
Mein Sohn, es ist ein Nebelstreif[13].

„Du liebes Kind, komm, geh mit mir!
Gar schöne Spiele spiel' ich mit dir;
Manch bunte[14] Blumen sind an dem Strand;
Meine Mutter hat manch gülden[15] Gewand[1]."

Mein Vater, mein Vater, und hörest du nicht,
Was Erlenkönig mir leise verspricht? —
Sei ruhig, bleibe ruhig, mein Kind;
In dürren[2] Blättern säuselt[3] der Wind. —

„Willst, feiner Knabe, du mit mir gehn?
Meine Töchter sollen dich warten[4] schön;
Meine Töchter führen den nächtlichen Reihn[5]
Und wiegen[6] und tanzen und singen dich ein."

Mein Vater, mein Vater, und siehst du nicht dort
Erlkönigs Töchter am düstern[7] Ort? —
Mein Sohn, mein Sohn, ich seh' es genau;
Es scheinen die alten Weiden[8] so grau. —

„Ich liebe dich, mich reizt[9] deine schöne Gestalt;
Und bist du nicht willig, so brauch' ich Gewalt."
Mein Vater, mein Vater, jetzt faßt er mich an!
Erlkönig hat mir ein Leids[9a] getan! —

Dem Vater grauset's[10], er reitet geschwind,
Er hält in Armen das ächzende[11] Kind,
Erreicht den Hof[12] mit Müh'[13] und Not[13];
In seinen Armen das Kind war tot.

Der Fischer

Das Wasser rauscht'[14], das Wasser schwoll,
Ein Fischer saß daran,
Sah nach dem Angel[15] ruhevoll,
Kühl bis ans Herz hinan[1].
Und wie er sitzt und wie er lauscht[2],
Teilt sich die Flut empor:
Aus den bewegten Wassern rauscht
Ein feuchtes[3] Weib hervor[4].

Sie sang zu ihm, sie sprach zu ihm:
Was lockst[5] du meine Brut[6]
Mit Menschenwitz und Menschenlist
Hinauf in Todesglut?

Marginal glosses:

[10] to hide   [11] anxious
[12] tail
[13] a streak of fog
[14] gay-colored
[15] *poet. für goldenes* garment
[2] dry
[3] to murmur, whisper
[4] to wait on, attend
[5] round dance
[6] to rock
[7] dark, gloomy
[8] willow
[9] to attract
[9a] harm, ill
[10] to shudder
[11] to groan
[12] farm
[13] barely, with difficulty
[14] to roar
[15] fishing-rod
[1] cool to his very heart
[2] to listen
[3] moist
[4] *hervorrauschen,* to come surging up
[5] to entice, call
[6] brood

Ach, wüßtest du, wie's Fischlein ist[7]
So wohlig[7] auf dem Grund,
Du stiegst herunter, wie du bist,
Und würdest erst gesund.

Labt[8] sich die liebe Sonne nicht,
Der Mond sich nicht im Meer?
Kehrt wellenatmend ihr Gesicht
Nicht doppelt schöner her?
Lockt dich der tiefe Himmel nicht,
Das feuchtverklärte[9] Blau?
Lockt dich dein eigen Angesicht
Nicht her in ew'gen Tau[10]?

Das Wasser rauscht', das Wasser schwoll,
Netzt[11] ihm den nackten Fuß;
Sein Herz wuchs ihm so sehnsuchtsvoll[12]
Wie bei der Liebsten Gruß.
Sie sprach zu ihm, sie sang zu ihm;
Da war's um ihn geschehn[13]:
Halb zog sie ihn, halb sank er hin
Und ward nicht mehr gesehn.

Der Gott und die Bajadere[14]

Indische Legende

Mahadöh[15], der Herr der Erde,
Kommt herab zum sechstenmal,
Daß er unsersgleichen[1] werde,
Mitzufühlen Freud' und Qual.
Er bequemt[2] sich, hier zu wohnen,
Läßt[3] sich alles selbst geschehn[3].
Soll er strafen oder schonen[4],
Muß er Menschen menschlich sehn.
Und hat er die Stadt sich als Wandrer betrachtet,
Die Großen belauert[5], auf Kleine geachtet[6],
Verläßt er sie abends, um weiterzugehn.

Als er nun hinausgegangen,
Wo die letzten Häuser sind,
Sieht er, mit gemalten Wangen,
Ein verlornes schönes Kind.
„Grüß' dich, Jungfrau!"[7]—„Dank der
Ehre!
Wart', ich komme gleich hinaus." —
„Und wer bist du?"—„Bajadere,
Und dies ist der Liebe Haus."

[7] how happy the little fish is feeling
[8] refresh
[9] transfigured in moisture
[10] dew; *die Morgenfrische ist dort dauernd*
[11] to wet
[12] swelled with the fullness of longing
[13] he was lost
[14] dancing girl of India
[15] *indisch*: The Great God
[1] like us
[2] to condescend, deign
[3] he allows himself to be treated as a human being
[4] to pardon
[5] to watch for
[6] to take care of
[7] I greet you, maiden!

129

Sie rührt sich, die Zimbeln[7a] zum Tanze zu schla-
gen;
Sie weiß sich so lieblich im Kreise zu tragen[8],
Sie neigt sich[9] und biegt sich[10] und reicht ihm den
Strauß[11].

Schmeichelnd[12] zieht sie ihn zur Schwelle[13],
Lebhaft[14] ihn ins Haus hinein.
„Schöner Fremdling[15], lampenhelle
Soll sogleich die Hütte sein.
Bist du müd[1], ich will dich laben[2],
Lindern[3] deiner Füße Schmerz.
Was du willst, das sollst du haben,
Ruhe, Freuden oder Scherz[4].“
Sie lindert geschäftig[5] geheuchelte[6] Leiden.
Der Göttliche lächelt; er siehet mit Freuden
Durch tiefes Verderben[7] ein menschliches Herz.

Und er fordert[8] Sklavendienste[9];
Immer heitrer wird sie nur,
Und des Mädchens frühe Künste[10]
Werden nach und nach Natur.
Und so stellet auf die Blüte
Bald und bald die Frucht sich ein[11];
Ist Gehorsam[12] im Gemüte,
Wird nicht fern die Liebe sein.
Aber sie schärfer und schärfer zu prüfen,
Wählet der Kenner[12a] der Höhen und Tiefen
Lust und Entsetzen[13] und grimmige Pein.

Und er küßt die bunten[14] Wangen,
Und sie fühlt der Liebe Qual,
Und das Mädchen steht gefangen[15]
Und sie weint zum erstenmal;
Sinkt zu seinen Füßen nieder,
Nicht um Wollust[1] noch Gewinst[2],
Ach! und die gelenken[3] Glieder,
Sie versagen[4] allen Dienst.
Und so zu des Lagers[5] vergnüglicher Feier
Bereiten den dunklen, behaglichen[6] Schleier[7]
Die nächtlichen Stunden, das schöne Gespinst[8].

Spät entschlummert unter Scherzen,
Früh erwacht nach kurzer Rast,
Findet sie an ihrem Herzen
Tot den vielgeliebten Gast.
Schreiend stürzt sie auf ihn nieder;

[7a] cymbals
[8] to move
[9] to bow [10] to bend
[11] bouquet
[12] caressing [13] threshold
[14] vigorous
[15] stranger
[1] tired [2] to refresh
[3] to soothe
[4] fun
[5] busy
[6] to feign, simulate
[7] corruption
[8] to ask, order
[9] services of a slave
[10] former skills
[11] *sich einstellen*, to appear
[12] obedience
[12a] knower
[13] terror
[14] gay-colored
[15] captive
[1] sensual pleasure
[2] profit
[3] supple
[4] to refuse
[5] bed
[6] comfortable [7] veil
[8] web (The hours of night weave the garment of darkness and comfort.)

Aber nicht erweckt sie ihn,
Und man trägt die starren[9] Glieder
Bald zur Flammengrube[10] hin.
Sie höret die Priester, die Totengesänge,
Sie raset und rennet und teilet die Menge.
„Wer bist du? was drängt[11] zu der Grube dich
hin?"

Bei der Bahre [11a] stürzt sie nieder,
Ihr Geschrei durchdringt die Luft:
„Meinen Gatten[12] will ich wieder!
Und ich such' ihn in der Gruft.
Soll zu Asche mir zerfallen[13]
Dieser Glieder Götterpracht?
Mein! er war es, mein vor allen!
Ach, nur eine süße Nacht!"

Es singen die Priester: „Wir tragen die Alten
Nach langem Ermatten[14] und spätem Erkalten[14a],
Wir tragen die Jugend, noch eh sie's gedacht.

Höre deiner Priester Lehre[14b]:
Dieser war dein Gatte nicht.
Lebst du doch als Bajadere,
Und so hast du keine Pflicht.
Nur dem Körper folgt der Schatten
In das stille Totenreich;
Nur die Gattin folgt dem Gatten:
Das ist Pflicht und Ruhm zugleich.
Ertöne, Drommete[15], zu heiliger Klage!
O nehmet, ihr Götter! die Zierde[1] der Tage,
O nehmet den Jüngling in Flammen zu euch!"

So das Chor, das ohn' Erbarmen[2]
Mehret[3] ihres Herzens Not;
Und mit ausgestreckten[4] Armen
Springt sie in den heißen Tod.
Doch der Götterjüngling hebet
Aus der Flamme sich empor,
Und in seinen Armen schwebet
Die Geliebte mit hervor.

Es freut sich die Gottheit der reuigen[5] Sünder;
Unsterbliche heben verlorene[6] Kinder
Mit feurigen Armen zum Himmel empor.

Goethes Gedichte, und vor allem die Balladen, müssen laut und mit richtiger Betonung[7] gelesen werden. Die Melodie und der

9 stiff
10 In Indien wurden die Toten verbrannt; die Witwen folgten den Männern in den Tod.
11 to urge
11a bier
12 husband
13 to crumble
14 weariness
14a get cold
14b instruction
15 trumpet
1 flourish, honor
2 mercy
3 to increase
4 to stretch out
5 repentant
6 condemned
7 intonation

131

Rhythmus der Sprache sind integrierende Bestandteile ihrer Wirkung. Die meisten Balladen enthalten eine moralische Tendenz oder doch eine philosophische Idee. In "Gott und die Bajadere" ist die Idee der Erlösung[8] reuiger Sünder durch "reine Menschlichkeit", durch Liebe, Pflichterfüllung und Aufopferung[9], ähnlich der christlichen Auffassung in der Geschichte der Maria von Magdala (Lukas 7, 36-50).

Die Balladen bilden den Übergang[10] zu den rein

Weltanschaulichen[11] *Gedichten*

Diese begleiten Goethe durch sein ganzes Leben. Denn nicht nur seine Gefühle, auch seine Gedanken war er gewohnt, in Poesie umzusetzen. Betrachtet man Goethes Gedankenlyrik als ein Ganzes, so wird man genug anscheinende Widersprüche[12] und Unvereinbarkeiten[13] finden. Goethes Philosophie ist nicht eine systematische Lehre[14], sie hat sich im Laufe seines Lebens organisch entwickelt, gewandelt[15], vertieft. Das macht sie noch interessanter; und da die Weltanschauung der Zeit in ihm kulminierte, können wir zugleich die Entwicklung der Philosophie von der Mitte des 18. bis zur Mitte des 19. Jahrhunderts verfolgen und uns dabei der schönsten poetischen Form erfreuen. Es ist im großen und ganzen[1] die Entwicklung vom Individualismus und Ästhetizismus zu einem sozialen und praktischen Humanismus.

Prometheus

Bedecke deinen Himmel, Zeus,
Mit Wolkendunst[2],
Und übe[3], dem Knaben gleich,
Der Disteln[4] köpft[5],
An Eichen dich und Bergeshöhn;
Mußt mir meine Erde
Doch lassen stehn,
Und meine Hütte, die du nicht gebaut,

[8]redemption

[9]sacrifice

[10]transition

[11]philosophic

[12]contradiction
[13]inconsistency
[14]doctrine

[15]to change

[1]on the whole

[2]cloud vapors, (contemptuously)
[3]to practise, train
[4]thistle   [5]to behead

132

Und meinen Herd⁶,
Um deſſen Glut
Du mich beneideſt⁷.

⁶hearth
⁷to envy

Ich kenne nichts Ärmeres
Unter der Sonn', als euch, Götter!
Ihr nähret⁸ kümmerlich⁹
Von Opferſteuern¹⁰
Und Gebeteshauch
Eure Majeſtät,
Und darbtet¹¹, wären
Nicht Kinder und Bettler¹²
Hoffnungsvolle Toren¹³.

⁹miserable ⁸to nourish
¹⁰taxes of sacrifices (contemptuously)

¹¹you would starve
¹²beggar
¹³fool

Da ich ein Kind war,
Nicht wußte wo aus noch ein,¹⁴
Kehrt'¹⁵ ich mein verirrtes¹ Auge
Zur Sonne, als wenn drüber² wär'
Ein Ohr, zu hören meine Klage³,
Ein Herz wie meins,
Sich des Bedrängten⁴ zu erbarmen⁵.

¹⁴I did not know which way to turn
¹⁵to turn
¹erring, mistaken
²over it
³complaint
⁴distressed
⁵to have mercy

Wer half mir
Wider der Titanen übermut⁶?
Wer rettete vom Tode mich,
Von Sklaverei⁷?
Haſt du nicht alles ſelbſt vollendet,
Heilig glühend Herz?
Und glühteſt⁸, jung und gut,
Betrogen, Rettungsdank⁸
Dem Schlafenden da droben?

⁶wantonness, insolence

⁷slavery

⁸you were glowing with thanks for your rescue

Ich dich ehren? Wofür?
Haſt du die Schmerzen gelindert⁹
Je¹⁰ des Beladenen¹¹?
Haſt du die Tränen geſtillet
Je des Geängſtigten¹²?
Hat nicht mich zum Manne geſchmiedet¹³
Die allmächtige Zeit
Und das ewige Schickſal,
Meine Herrn und deine?

⁹to alleviate
¹⁰ever ¹¹burdened
¹²frightened
¹³to forge

Wähnteſt¹⁴ du etwa,
Ich ſollte das Leben haſſen,
In Wüſten¹⁵ fliehen,
Weil nicht alle
Blütenträume reiften?¹

¹⁴to suppose
¹⁵desert
¹*weil nicht alles in Erfüllung ging, was man vom Leben erwartete?*

Hier sitz' ich, forme² Menschen
Nach meinem Bilde,
Ein Geschlecht, das mir gleich sei,
Zu leiden, zu weinen,
Zu genießen und zu freuen sich,
Und dein nicht zu achten³,
Wie ich!

²to model

³to regard, esteem

"Prometheus" wurde im Jahre 1774 geschrieben und war ursprünglich⁴ für ein großes Drama zur Verherrlichung des Menschengeschlechts bestimmt, das nie vollendet wurde. Diese Apotheose des Genius ist der stärkste Ausdruck des Individualismus der "Sturm und Drang"-Zeit. Der freie, an keine Gesetze gebundene Wille des Titanen triumphiert über sinnlose, überlebte⁵ Konventionen.

⁴originally

⁵outworn

Einen ganz andern Geist atmet das einige Jahre später entstandene Gedicht

Grenzen der Menschheit

Wenn der uralte
Heilige Vater
Mit gelassener⁶ Hand
Aus rollenden Wolken
Sengende⁷ Blitze
über die Erde sät,
Küss' ich den letzten
Saum⁸ seines Kleides,
Kindliche Schauer⁹
Treu in der Brust.

⁶calm

⁷to singe, scorch

⁸hem
⁹(sacred) awe

Denn mit Göttern
Soll sich nicht messen¹⁰
Irgend ein Mensch.
Hebt er sich aufwärts
Und berührt
Mit dem Scheitel¹¹ die Sterne,
Nirgends haften¹² dann
Die unsichern¹³ Sohlen,
Und mit ihm spielen
Wolken und Winde.

¹⁰to compete

¹¹crown of the head
¹²to stick
¹³unsteady

Steht er mit festen,
Markigen¹⁴ Knochen

¹⁴marrowy, pithy

Auf der wohlgegründeten
Dauernden Erde:
Reicht er nicht auf[15],
Nur mit der Eiche
Oder der Rebe
Sich zu vergleichen.

Was unterscheidet
Götter von Menschen?
Daß viele Wellen
Vor jenen wandeln,
Ein ewiger Strom:
Uns hebt die Welle,
Verschlingt[1] die Welle,
Und wir versinken.

Ein kleiner Ring
Begrenzt unser Leben,
Und viele Geschlechter[2]
Reihen sich dauernd
An ihres Daseins
Unendliche Kette.

Der Mensch ist hier ein schwaches, hilf-
loses Wesen[3]. Aber jede Generation ist ein
Glied[4] einer unendlichen Kette und sichert
damit ihren Fortbestand[5].

Das Göttliche

Edel sei der Mensch,
Hilfreich und gut!
Denn das allein
Unterscheidet ihn
Von allen Wesen,
Die wir kennen.

Heil den unbekannten
Höhern Wesen,
Die wir ahnen[6]!
Ihnen gleiche[7] der Mensch;
Sein Beispiel lehr' uns
Jene[8] glauben.

Denn unfühlend
Ist die Natur:
Es leuchtet die Sonne
Über Bös' und Gute,
Und dem Verbrecher

---

[15] *aufreichen*, to reach up

[1] to devour, swallow

[2] generation

[3] being
[4] link
[5] endurance

[6] to divine
[7] *gleichen*, to be like

[8] the former

135

Glänzen, wie dem Besten,
Der Mond und die Sterne.

Nach ewigen, eh'rnen⁹,
Großen Gesetzen
Müssen wir alle
Unseres Daseins
Kreise vollenden.

Nur allein der Mensch
Vermag das Unmögliche;
Er unterscheidet¹⁰,
Wählet und richtet;
Er kann dem Augenblick
Dauer¹¹ verleihen.

Er allein darf
Den Guten lohnen,
Den Bösen strafen,
Heilen und retten,
Alles Irrende¹², Schweifende¹³
Nützlich verbinden.

Und wir verehren
Die Unsterblichen,
Als wären sie Menschen,
Täten im Großen,
Was der Beste im Kleinen
Tut oder möchte.

Der edle Mensch
Sei hilfreich und gut!
Unermüdet schaff' er
Das Nützliche, Rechte,
Sei uns ein Vorbild¹⁴
Jener geahnten Wesen!

⁹*ehern,* brazen

¹⁰to discriminate

¹¹duration, permanence

¹²erring   ¹³roving

¹⁴model; *hier:* intimation

Goethe setzt hier dem Menschen das höchste ethische Ziel: er soll durch sein Leben, seine Lebensführung¹⁵ beweisen, daß ein göttliches Prinzip die Welt regiert.—Es ist eine bittere Ironie des Schicksals, daß Goethe diese von höchster Humanität erfüllten Zeilen im Jahre 1783 in jenem Buchenwald geschrieben hat, das nun durch sein barbarisches KZ¹ berüchtigt² ist.

Zwei Ideen beherrschen Goethes Gedankenlyrik der späteren Zeit. Die eine ist die

¹⁵conduct

¹*Konzentrationslager,* concentration camp
²ill-famed

136

Idee der *Evolution*. Der Mensch kann sein Glück, seine Bestimmung[3] im Leben nicht in einem dauernden Zustand, sondern nur in einer *fortwährenden Weiterentwicklung* finden. Nachdem er sich ein Menschenalter[4] bemüht hat, die Frage nach dem Sinn[5] des Lebens zu lösen, findet er am Schlusse des "Faust": [3]destination, vocation

[4]lifetime

[5]meaning

Das ist der Weisheit letzter Schluß:
Nur der verdient sich Freiheit wie das Leben,
Der täglich sie erobern muß.[6]

[6]The last result of wisdom stamps it true;
He only earns his freedom and existence,
Who daily conquers them anew.

Von diesem Gesichtspunkt aus erhält das Phänomen des *Todes* eine "lebendige" Bedeutung:

Selige Sehnsucht

Sagt es niemand, nur den Weisen,
Weil die Menge gleich verhöhnet[7],
Das Lebend'ge will ich preisen,
Das nach Flammentod sich sehnet.

[7]to mock

. . . . . .

Und solang du das nicht hast,
Dieses: S t i r b   u n d   w e r d e !
Bist du nur ein trüber[8] Gast
Auf der dunklen Erde.

[8]dull

Jede Weiterentwicklung im Leben hat den Tod des früheren Zustandes zur Vorbedingung[9]. So wechseln Tod und Wiedergeburt[10] im Leben des Individuums wie im Werden und Vergehen der Generationen. Der Tod schafft neues Leben, und der Mensch ist ein schöpferisches Glied in der unendlichen Kette der Entwicklung.

[9]prerequisite [10]rebirth

Die zweite Idee ist die *Immanenz Gottes im Universum*, die Einheit von Gott und Welt.

Prooemion

Im Namen dessen, der sich selbst erschuf!
Von Ewigkeit in schaffendem Beruf[11];
In seinem Namen, der den Glauben schafft,
Vertrauen[12], Liebe, Tätigkeit und Kraft;
In jenes Namen, der, so oft genannt,
Dem Wesen nach[13] blieb immer unbekannt . . .

Vorspruch, Einleitung (zu Goethes wissenschaftlichen Schriften)

[11]in creative function

[12]confidence

[13]in its essence

137

Was wär' ein Gott, der nur von außen stieße[14],
Im Kreis das All am Finger laufen ließe!
Ihm ziemt's[15], die Welt im Innern zu bewegen,
Natur in sich, sich in Natur zu hegen[1],
So daß, was in ihm lebt und webt und ist,
Nie seine Kraft, nie seinen Geist vermißt.

[14]stoßen, to push

[15]it is up to him

[1]to preserve

Im Innern ist ein Universum auch;
Daher der Völker löblicher[2] Gebrauch[3],
Daß jeglicher[4] das Beste, was er kennt,
Er Gott, ja seinen Gott benennt,
Ihm Himmel und Erden übergibt,
Ihn fürchtet und womöglich liebt.

[2]commendable   [3]custom
[4]everybody

Gottes ist der Orient!
Gottes ist der Occident!
Nord= und südliches Gelände[5]
Ruht im Frieden seiner Hände.

[5]country

Er, der einzige Gerechte,
Will für jedermann das Rechte.
Sei, von seinen hundert Namen,
Dieser hochgelobet! Amen.

Was du mit Händen nicht greiffst[6], das scheint dir
    Blinden ein Unding[7],
Und betastest[8] du was, gleich ist das Ding auch
    beschmutzt[9].

[6]to grasp
[7]absurdity
[8]to touch
[9]soiled

Freunde, bedenket euch wohl[10], die tiefere,
    kühnere Wahrheit
Laut zu sagen: sogleich stellt man sie euch auf
    den Kopf.

[10]be careful, mind

Wer Großes will, muß sich zusammenraffen[11]:
In der Beschränkung[12] zeigt sich erst der Meister,
Und das Gesetz nur kann uns Freiheit geben.

[11]to pull oneself together
[12]limitation

Die letzten drei Sprüche[13] sind den "Xeni-
en" und "Votivtafeln" entnommen[14], die
Goethe und Schiller gemeinsam im Jahre
1796 schrieben und veröffentlichten. Beide

[13]*Spruch*, sentence, maxim
[14]*entnehmen*, to quote from

138

hatten den "Sturm und Drang" überwunden
und waren zu der "klassischen" Anschau-
ung[15] gekommen, daß Freiheit nur innerhalb   [15]interpretation
des Gesetzes bestehen kann.

Bevor wir uns mit Goethes Dramen und
Romanen beschäftigen, wollen wir uns ein
wenig nach dem zweiten großen deutschen
Klassiker umsehen.

FRIEDRICH SCHILLER

(1759 - 1805)

SCHILLER war zehn Jahre jünger als
Goethe und starb 27 Jahre vor ihm, 46
Jahre alt.

Er war ein Süddeutscher, ein Schwabe
wie Wieland und viele andere deutsche Dichter und Künstler. Am 10. November wurde
er geboren, am Luthertage, und mit Luther
sollte er die Liebe des deutschen Volkes
teilen[1]. Goethe stand zu hoch, er wurde be- [1]to share
wundert, verehrt[2], Schiller wurde geliebt. [2]to worship
Wie Klopstock und Wieland, Lessing und
Herder einander ergänzen[3], so Goethe und [3]to complement, to be
Schiller. Schlichte[4], reine, edle Kunst hat   counterparts
Goethe geboten, Schiller ließ die Fanfare   [4]simple
der Begeisterung[5] ertönen. Der Realist   [5]enthusiasm
Goethe sang von den Leiden und Freuden
des Individuums; der Idealist Schiller um-
faßte schwärmerisch die Nation, ja, die
Menschheit:

"Ans Vaterland, ans teure, schließ dich an[6],   [6]sich anschließen, to join
Das halte fest mit deinem ganzen
Herzen!"

"Seid umschlungen, Millionen!
Diesen Kuß der ganzen Welt!"

Wir werden nun die Pyramide der Entwicklung besser verstehen:

Aufklärung	Pietismus
(Vernunft)	(Gefühl)

	Kant	Rousseau	
Wieland			Klopstock
Lessing			Herder
Goethe		Schiller	

Immer kleiner werden die Gegensätze, bis,
um die Wende des Jahrhunderts, die "beiden
Dioskuren" in persönlicher Freundschaft,
weltanschaulicher Nähe und künstlerischer
Zusammenarbeit bei einander stehen, da gemeinsame Interessen, edles Menschentum

140

und die Ideale der klassischen Kunst sie vereinen.

Seit 150 Jahren will die Frage nicht verstummen: "Wer ist größer?" Goethe hat sie ein für allemal[7] ungefähr so beantwortet: "Da streitet sich das Publikum, wer größer sei, Schiller oder ich, statt froh zu sein, daß sie zwei solche Kerle[8] haben." Goethe ist der größte deutsche Lyriker und wohl der größte Lyriker der Welt. Schiller ist der größte deutsche Dramatiker und wahrscheinlich[9] der größte Dramatiker nach Shakespeare. Jedenfalls sind Shakespeare und Schiller die einzigen dramatischen Dichter einer früheren Zeit, deren Werke noch heute auf der Bühne lebendig und ihrer Wirkung sicher sind. Vom Standpunkt der Weltliteratur aus ist freilich Goethe überragend; sein Gedankenreich ist weiter, sein Einfluß auf das Ausland bedeutend größer.

[7]once for all

[8]fellow

[9]probably

SCHILLERS LEBEN

verlief nicht so ruhig und geradlinig[10] wie das Goethes. Es war voll von Schwierigkeiten und Kämpfen, obwohl auch Schiller schon sehr früh, mit 22 Jahren, berühmt war.

Schillers Vater war Offizier im Dienste des Herzogs Karl Eugen von Württemberg. Dieser "aufgeklärte"[11] Despot spielte eine große Rolle in Schillers Leben, freilich eine ganz andere als Herzog Karl August in dem Goethes. Eines seiner Steckenpferde[12] war die von ihm gegründete Erziehunganstalt[13] in Stuttgart, später die "Hohe Karlsschule" genannt, eine Kombination von Mittelschule[14], College and Graduate School unter strenger militärischer Disziplin. Der Herzog war stets auf der Suche nach talentierten Jungen, um sie an dieser Musteranstalt[15] in seinem Sinne erziehen zu lassen. Auf Befehl des Herzogs trat der vierzehnjährige Friedrich in die Schule ein und blieb acht Jahre dort. Nach Absolvierung des Gymnasiums studierte er Medizin. Im Jahre

[10]straight

[11]enlightened

[12]hobby

[13]educational institution

[14]High School

[15]model school

141

1780 graduierte er und wurde als Regimentsmedikus in Stuttgart angestellt[1]. Er soll ein schlechter Arzt gewesen sein und seine Soldaten mit Roßkuren[2] behandelt haben.

Viel ist über den furchtbaren Druck[3] geschrieben worden, den der "barbarische" Herzog auf den genialen[4] Jüngling ausübte. Aber man muß bedenken: 1. daß der Herzog für die gesamten Lebens- und Erziehungskosten aufkam[5]. Schillers Vater wäre niemals in der Lage gewesen, seinem Sohne eine akademische Bildung angedeihen[6] zu lassen.[6] 2. Die Schule gehörte sicher zu den besten der damaligen Zeit. 3. Die strengen Regeln wurden von den Studenten ausgiebig[7] übertreten[8]. Verbotene Bücher wurden eifrig eingeschmuggelt. Schiller und seine Kollegen lasen die ganze aufrührerische[9] Literatur der Zeit. Sie begeisterten sich an den Werken der Stürmer und Dränger, an Goethes "Götz" und "Werther", Lessings "Emilia Galotti", Rousseau und Shakespeare (in Wielands Übersetzung). Außerdem erzeugte der starke Druck der Schule—wie immer—eine ebenso starke Reaktion und führte zu einer glühenden Freiheitsschwärmerei[10]. Ohne diese wären wohl nie "Die Räuber" und "Kabale und Liebe" entstanden. Schiller selbst hat das erkannt: *Acht Jahre rang mein Enthusiasmus mit der militärischen Regel; aber Leidenschaft für die Dichtkunst ist feurig und stark wie die erste Liebe. Was sie ersticken[11] sollte, fachte sie an[12]. Verhältnissen zu entfliehen, die mir zur Folter[13] waren, schweifte[14] mein Herz in eine Idealwelt aus . . .*"

Im Jahre 1781 ließ Schiller sein Erstlingsdrama *"Die Räuber"* auf eigene Kosten drucken[15]; es war zum großen Teil schon in der Schule entstanden. Im nahe gelegenen, aber schon zu einem andern Staat gehörigen Mannheim wurde das Stück aufgeführt und brachte einen ungeheuren[1] Erfolg. Im Sturme wurden die meisten anderen Bühnen Deutschlands erobert und Schiller war be

[1]to appoint

[2]drastic treatment
[3]pressure, oppression

[4]full of genius

[5]to pay for

[6]to give

[7]freely
[8]to violate

[9]rebellious, revolutionary

[10]wild devotion to freedom

[11]to suffocate
[12]to blow into a flame, to kindle
[13]torture   [14]to digress

[15]to print

[1]enormous

142

rühmt. "Haben wir je einen deutschen Shakespeare zu erwarten, so ist es dieser," schrieb eine angesehene[2] Zeitung. Während der Revolutionsjahre gehörten die "Räuber" zu den beliebtesten Stücken der Pariser Bühne. Die Regierung ehrte ihn, indem sie "Monsieur Gillé, publiciste allemand", zum Ehrenbürger[3] der französischen Republik machte. Aber Tantièmen[4] hat er weder vom In- noch vom Ausland erhalten.

Der Herzog war natürlich mit der Tendenz des Stückes und dem Motto "In tyrannos"[5] nicht einverstanden, aber er war geschmeichelt[6] daß ein Karlsschüler solchen Ruhm erwarb und ließ ihn anfangs gewähren[7]. Als er jedoch erfuhr, daß Schiller ohne Urlaub[8] nach Mannheim gefahren war, und als er wegen einer Stelle in den "Räubern"[9] diplomatische Schwierigkeiten hatte, verbot er Schiller, je andere als medizinische Bücher drucken zu lassen. Da entschloß sich der junge Dichter zur *Flucht*. Mit seinem treuen Freunde, dem Musiker Streicher, verließ er am 22. September 1782 bei Nacht und unter falschem Namen Stuttgart.

Er war völlig mittellos[10]. Seine Hoffnung, eine Anstellung als Theaterdichter in Mannheim zu finden, ging erst im nächsten Jahre und nur für ein Jahr in Erfüllung. Inzwischen und in den Jahren 1784 bis 1789 war er ganz auf den recht kärglichen[11] Ertrag[12] seiner schriftstellerischen Tätigkeit und auf die Gastfreundschaft[13] von Freunden angewiesen[14]. Glücklicherweise hatte er die Gabe, hingebende[15] Freunde zu erwerben. Seine Aufenthaltsorte[1] wechseln. Längere Zeit lebt er in Dresden und Leipzig bei seinem Freunde, dem Konsistorialrat[2] Gottfried Körner, dem Vater des Freiheitsdichters und Helden Theodor Körner.

In diesen Jahren entstanden: "Fiesco", "Kabale und Liebe" und "Don Karlos".

Im Jahre 1789 erhielt er durch Goethe eine Berufung[3] als Professor der Geschichte an die Universität Jena, in der Nähe von

[2]noted

[3]honorary citizen

[4]royalty

[5]against the tyrants (Latin)
[6]to flatter

[7]*gewähren lassen,* to let alone
[8]leave of absence, permission
[9]*In II, 3 sagt Spiegelberg:* ". . . reis' du ins Graubündner Land, das ist das Athen der heutigen Gauner (scoundrel)."

[10]without means

[11]poor   [12]returns, profit

[13]hospitality
[14]dependent
[15]devoted
[1]residence

[2]Synodical Councillor

[3]call

143

Weimar. Vor einem Auditorium von 500 Studenten hielt er seine Antrittsvorlesung: "Was heißt und zu welchem Zwecke studieren wir Universalgeschichte?" und wurde stürmisch gefeiert[4]. Nun konnte er seine Braut, Charlotte von Lengenfeld, heiraten.

[4]enthusiastically cheered

In den zehn Jahren seiner Professur in Jena hat Schiller hauptsächlich geschichtliche und philosophische Werke geschrieben, darunter "Der Abfall[5] der Niederlande" und "Die Geschichte des dreißigjährigen Krieges". Die Beschäftigung mit den Ereignissen des 17. Jahrhunderts führte ihn wieder zum Drama zurück. Die Trilogie "Wallenstein" wurde im Jahre 1799 beendet und aufgeführt.

[5]revolt

Im selben Jahre konnte Schiller endlich an den Ort seiner Bestimmung[6] gelangen: er übersiedelte[7] nach Weimar. Nur fünf Jahre war es ihm gegönnt[8], an der Seite Goethes und in inniger[9] Freundschaft mit ihm zu leben. In rascher Folge enstanden nun seine Meisterdramen "Maria Stuart", "Die Jungfrau von Orleans", "Die Braut von Messina" und "Wilhelm Tell".—Am 9. Mai 1805 erlag[10] der Dichter, dessen Gesundheit immer viel zu wünschen übrig ließ[11], einer Lungenentzündung[12].

[6]destiny
[7]to move
[8]to grant
[9]intimate
[10]to succumb
[11]left much to be desired
[12]pneumonia

Schiller hat in den letzten zehn Jahren seines Lebens wohl in bescheideneren[13] Verhältnissen als Goethe, aber nicht in Armut gelebt. Sein Durchschnittseinkommen[14] war etwa 2000 Taler jährlich. Er konnte seiner Witwe das große Haus, vollkommen schuldenfrei[15], und ein kleines erspartes Kapital hinterlassen. Von den Tantièmen, die ihr der Verleger Cotta fortlaufend[1] zahlte, lebte sie mit ihren vier Kindern sorgenfrei.

[13]modest
[14]average income
[15]unencumbered
[1]continually

DIE FREUNDSCHAFT ZWISCHEN GOETHE UND SCHILLER

ıst eine der wunderbarsten Erscheinungen der Geistesgeschichte, an der man nicht vor-

übergehen[2] kann. *"Eine Epoche, die nicht wiederkehrt und dennoch auf die Gegenwart fortwirkt und nicht bloß über Deutschland einen mächtigen Einfluß ausübt"*, hat Goethe diese Zeit genannt. Viele Jahre lang hat Schiller um die Anerkennung[3] und Gunst[4] Goethes vergebens geworben[5]. Goethe hatte seinen eigenen Sturm und Drang längst überwunden. Er haßte Schillers Jugenddramen, obwohl er das große Talent des Dichters erkannte.—Im Jahre 1788, bald nach Goethes Rückkehr aus Italien, wurde Schiller ihm im Hause Lengenfeld vorgestellt[6]. Beide waren enttäuscht[7]. Goethe schreibt: *"An keine Vereinigung war zu denken."* Schiller hat denselben Eindruck[3]. *"Meine in der Tat hohe Idee von ihm ist nicht vermindert[9] worden; aber wir werden uns immer fern bleiben." . . . "Seine Welt ist nicht die meine . . ." . . . "Mit Goethe messe ich mich nicht, er hat weit mehr Genie als ich . . ." — "Dieser Mensch, dieser Goethe ist mir einmal im Wege. Er erinnert mich so oft, daß das Schicksal mich hart behandelt hat. Wie leicht war sein Genie von seinem Schicksal getragen, und wie muß ich bis auf diese Minute noch kämpfen!"*—

Dennoch wußten beide, daß sie die einzigen waren, die einander etwas geben konnten. Sechs Jahre hatten sie — Goethe in Weimar, Schiller in Jena — nebeneinander und aneinander vorbei[10] gelebt. Endlich sollte die Stunde ihrer Vereinigung schlagen. Es ist, als ob Schiller nun selbst erlebt hätte, was er viel früher Don Carlos zu seinem Freunde Posa sagen läßt:

. . . als ich endlich
Mich kühn entschloß, dich grenzenlos zu lieben,
Weil mich der Mut verließ, dir gleich zu tun.

Im Jahre 1794 war Schiller im Begriffe, eine neue Zeitschrift[11], "Die Horen", herauszugeben, und lud Goethe zur Mitarbeit ein.

[2] to pass up, ignore
[3] acknowledgment
[4] favor
[5] to sue for
[6] to introduce
[7] to disappoint
[8] impression
[9] to diminish
[10] apart
[11] periodical

145

Goethe antwortete sehr freundlich, beinahe herzlich und fügte ermunternd[12] hinzu: *"Ich hoffe, bald mündlich[13] darüber zu sprechen."* Es ist interessant, die Schlußformeln der beiden Briefe zu vergleichen. Schiller unterschreibt: *"Hochachtungsvoll[14] verharre[15] Euer Hochwohlgeboren[1] gehorsamster Diener[2] und aufrichtigster[3] Verehrer[4] F. Schiller."* Goethe schließt: *"Ich empfehle mich Ihnen aufs beste.[5] Goethe."*—Bald darauf kam Goethe nach Jena, um einem Vortrag in der Naturforschenden Gesellschaft[6] beizuwohnen[7]. Auch Schiller war anwesend. Zufällig[8] verließen sie gleichzeitig den Saal und kamen in ein Gespräch über naturwissenschaftliche Fragen. Es war so anregend[9], daß es in Schillers Wohnung fortgesetzt wurde. Das Eis war gebrochen. Schiller schrieb einen langen, wundervollen Brief an Goethe, den man "die Liebeserklärung Schillers für den bewunderten Genius" genannt hat. Goethe war überwältigt[10] und antwortete:

"Zu meinem Geburstage . . . hätte mir kein angenehmeres Geschenk werden können als Ihr Brief, in welchem Sie mit freundschaftlicher Hand die Summe meiner Existenz ziehen und mich durch Ihre Teilnahme[11] zu einem emsigeren[12] und lebhafteren Gebrauch meiner Kräfte aufmuntern. Ich freue mich[13], Ihnen gelegentlich[14] zu entwickeln[15], was mir Ihre Unterhaltung[1] gewährt[2] hat, wie ich von jenen Tagen an auch eine Epoche rechne. — Es scheint nun, als wenn wir, nach einem so unvermuteten[3] Begegnen[4], miteinander fortwandern müßten . . ."

Das taten sie denn auch. Der Freundschaftsbund, der sich nun entwickelte, ist ohne Beispiel. Nicht die leiseste Spur von Eifersucht[5] mischt sich in das Verhältnis zweier auf dem gleichen Gebiete[6] schaffender Menschen. Sie teilen einander ihre dichterischen Pläne mit, besprechen die Werke im Fortschreiten und überlassen[7] einander

[12]encouragingly
[13]verbally, in person

[14]most respectfully
[15]I remain
[1]Right Honorable Sir
[2]your most obedient servant
[3]very sincere   [4]admirer
[5]my best compliments

[6]Association for the Advancement of Science
[7]to attend
[8]accidentally

[9]stimulating

[10]to overcome, overwhelm

[11]interest

[12]active

[13]I am looking forward
[14]on occasion
[15]to explain, develop
[1]conversation   [2]to give

[3]unexpected   [4]meeting

[5]jealousy
[6]field

[7]to cede

sogar gelegentlich[8] Stoffe. Bei dem Treiben[9] der heutigen Schriftstellercliquen muß einem das doppelt bewundernswert vorkommen. *"Ein jeder konnte dem andern etwas geben und etwas dafür empfangen,"* schreibt Schiller an Körner.

Im Herbst 1794 verbringt Schiller vierzehn Tage als Gast in Goethes Haus in Weimar. In den folgenden fünf Jahren haben sie einander oft gesehen und standen in lebhafter Korrespondenz mit einander. *"Goethes und Schillers Briefwechsel"*, den Goethe im Jahre 1829 veröffentlichte, gehört zu den schönsten Freundschaftsdenkmälern, die wir besitzen, und ist außerdem eine Fundgrube[10] für Fragen der Kunst, Literatur und Lebensweisheit. Als Goethe mit der Herausgabe [10a] beschäftigt war, schrieb er an seinen Freund Zelter: *"Es wird eine große Gabe sein, die den Deutschen, ja ich darf wohl sagen den Menschen geboten wird."* Der Dichter Mörike nennt ihn *"ein Buch aller Bücher . . . es ist, als dürfte man die Seele der Kunst anschauen . . . man kann das Herz der Poesie schlagen hören . . ."*

Als Schiller 1799 nach Weimar übersiedelte (der Herzog zahlte ihm sein Jenaer Professorengehalt weiter), wurde das Verhältnis—wie Goethe später zu Eckermann äußerte—*"so innig, daß im Grunde keiner ohne den andern leben konnte"*. *"Wenn doch ein Kurzschreiber[11] unsere Gespräche hätte aufzeichnen können,"* sagt er ein anderes Mal.—Als sie einander einmal nach längerer Pause, die durch eine Krankheit Schillers verursacht war, wiedersahen, *"fielen sie sich um den Hals und küßten sich mit einem langen herzlichen Kuß, ehe einer von ihnen ein Wort hervorbrachte . . ."* — so schildert ein Augenzeuge[12] die Szene.

Durch Schillers Tod fühlte sich Goethe *"der Hälfte seines Daseins beraubt"*. In den beiden Gedichten *"Epilog zu Schillers Glocke"* und *"Bei der Betrachtung von Schil-*

[8]occasionally [9]attitude

[10]storehouse, rich source,

[10a]publication

[11]stenographer

[12]eye-witness

147

lers Schädel[13]" hat er dem toten Freunde dauernde Denkmäler gesetzt. Als er einmal von einem absprechenden[14] Urteil über Schiller hörte, brauste er auf[15]: *"Wenn Schiller sich die Nägel beschnitt*[1], *war er größer als diese Herren."* Das schönste aber, was man über eine Freundschaft sagen kann, ist wohl in dem folgenden Ausspruch enthalten: *"Mit Schiller, dessen Charakter und Wesen dem meinigen völlig entgegengesetzt war, habe ich mehrere Jahre ununterbrochen gelebt, und unser wechselseitiger*[2] *Einfluß hat so gewirkt, daß wir uns auch da verstanden, wo wir nicht einig waren."*[3]

Die Räuber

(Der "regierende Graf von Moor"[4] hat zwei Söhne, Karl und Franz. *Karl*, der ältere, ist ein schöner, begabter, feuriger Jüngling, ein echter "Kerl" [4a] im Sinne des "Sturm und Drang". Er studiert an der Universität Leipzig. In lustiger Gesellschaft hat er allerlei tolle[5] Streiche[5] verübt. Nun hat er in einem Brief seinen Vater um Verzeihung gebeten; er will nach Hause kommen und an der Seite seiner Braut, *Amalia*, ein neues Leben beginnen.—Sein Bruder *Franz* aber ist ein Bösewicht[6]. Er trachtet[7] nach dem Erbe und nach Amalia. Er unterschlägt[8] den Brief und redet[9] dem alten, schwachen Vater ein[9], Karl habe ein Verbrechen verübt, werde von der Polizei verfolgt und sei geflüchtet.)

Erſter Akt, zweite Szene[10]

(Schenke[11] an den Grenzen von Sachſen. Karl v. Moor in ein Buch vertieft[12]. Spiegelberg trinkend am Tiſch.)

Moor (legt das Buch weg). Mir ekelt[13] vor dieſem tintenkleckſenden[14] Säkulum, wenn ich in meinem Plutarch leſe von großen Menſchen.

Spiegelberg. Pfui! du wirſt doch nicht gar ben verlorenen Sohn[15] ſpielen wollen? . . . Komm, laß dir ein Stückchen aus meinen Bubenjahren erzählen. Da hatt' ich neben meinem Haus einen

148

[13]skull

[14]unfavorable

[15]to get into a rage

[1]to cut one's nails

[2]mutual

[3]to agree

[4]*In der Zeit der Feudalwirtschaft war der aristokratische Landbesitzer absoluter Gebieter auf seinem Boden.*

[4a]real man

[5]foolish mischief

[6]villain   [7]to covet

[8]to intercept
[9]to persuade, make believe

[10]*sogenannte "Libertinerszene"*

[11]inn

[12]absorbed

[13]I am disgusted at
[14]ink-blotted

[15]the prodigal son

Graben, der seine acht Schuh[1] breit war, wo wir Buben uns un die Wette[2] bemühten[2], hinüber zu springen. Aber das war umsonst. Plumps! lagst du, und war ein Gelächter über dir, und wurdest mit Schneeballen geschmissen über und über. Neben meinem Haus lag eines Jägers Hund an einer Kette, eine bissige[3] Bestie. Das war nun mein Seelengaudium;[3a] den Hund überall zu necken[4], wo ich nur konnte, und wollt' halb krepieren[5] vor Lachen, wenn mich dann das Luder[6] so giftig[7] anstierte[8] und so gern auf mich losge=rannt wäre, wenn's nur gekonnt hätte. — Was geschieht? Einmal mach' ich's auch wieder so und werf' ihm mit einem Stein so derb[9] an die Rippe, daß er vor Wut von der Kette reißt und auf mich los, und ich, wie alle Donnerwetter[10], reißaus[11] und davon. — Tausend Schwerenot![12] da ist dir just der vermaledeite[13] Graben dazwi=schen. Was zu tun? Der Hund ist mir hart an den Fersen[14] und wütig[15], also kurz resolviert —ein Anlauf genommen[1]—drüben bin ich. Dem Sprung hatt' ich Leib und Leben zu danken; die Bestie hätte mich zu Schanden gerissen[2].

Moor. Aber wozu jetzt das?

Spiegelberg. Dazu — daß du sehen sollst, wie die Kräfte wachsen in der Not. Der Mut wächst mit der Gefahr.

Moor. Ich wüßte nicht, wozu wir den Mut noch haben sollten, und noch nicht gehabt hätten. — Kamerad, mit den Narrenstreichen ist's nun zu Ende. Schon die vorige Woche hab' ich meinen Vater um Vergebung geschrieben, und wo Auf=richtigkeit[3] ist, ist auch Mitleid und Hilfe. Laß uns Abschied nehmen, Moritz. Wir sehen uns heute, und nie mehr. Die Post ist angelangt. Die Verzeihung meines Vaters ist schon innerhalb dieser Stadtmauern.

(Mehrere Studenten treten auf, darunter Schwarz mit einem Brief.)

Moor. Kameraden, den Brief! Freut euch mit mir! Ich bin der Glücklichste unter der Sonne! (Bricht hastig den Brief auf.) Meines Bruders Hand? (Liest den Brief, läßt ihn fallen und rennt hinaus.)

[1]feet
[2]to vie, contend
[3]vicious
[3a]heart's delight
[4]to tease
[5]to perish [6]damned beast
[7]furious [8]to stare at
[9]rough
[10]thunderstorm
[11]to take to one's heels
[12]Hang it all!
[13]damned
[14]heel [15]furious
[1]to take a run (before leaping)
[2]to tear to pieces (*Spiegelbergs Sprache ist recht vulgär.*)
[3]sincerity

Schwarz. Was hat er? Er ist bleich wie die Wand.

Schweizer. Das müssen schöne[4] Neuigkeiten[4] sein! Laß doch sehen!

Roller (nimmt den Brief von der Erde und liest). „Unglücklicher Bruder!" — Der Anfang klingt lustig. — „Nur kurz muß ich dir melden, daß deine Hoffnung vereitelt[5] ist; du sollst hingehn, läßt dir der Vater sagen, wohin dich deine Schandtaten[6] führen. Auch, sagt er, sollst du dir keine Hoffnung machen, jemals Gnade[7] zu seinen Füßen zu erwimmern[8], wenn du nicht gewärtig sein[9] wollest, im untersten Gewölb[10] seiner Türme mit Wasser und Brot so lang traktiert[10a] zu werden, bis deine Haare wachsen wie Adlersfedern und deine Nägel wie Vogelsklauen werden. Das sind seine eigenen Worte. Er befiehlt mir, den Brief zu schließen. Leb wohl auf ewig! Ich bedaure dich —

Franz von Moor"

Schweizer. Ein zuckersüßes Brüderchen! In der Tat! Franz heißt die Kanaille?[11]

Spiegelberg. Von Wasser und Brot ist die Rede? Ein schönes Leben! Da hab' ich anders für euch gesorgt![12] Sagt' ich's nicht, ich müßt' am Ende für euch alle denken?

Schweizer. Was sagt der Schafskopf[13]? Der Esel will für uns alle denken?

Spiegelberg. Hasen[14], Krüppel, lahme Hunde seid ihr alle, wenn ihr das Herz nicht habt, etwas Großes zu wagen[15]!

Roller. Nun, das wären wir freilich, du hast recht!!! Aber wird es uns auch aus dieser vermaledeiten Lage reißen, was du wagen wirst? Wird es?

Spiegelberg. Armer Tropf![1] Aus dieser Lage reißen? Hahaha! Aus dieser Lage reißen? —Zu Helden, sag' ich dir, zu Fürsten, zu Göttern wird's euch machen! . . . Es will nichts als Mut, denn was[2] den Witz betrifft[2], den nehm' ich ganz auf mich. Mut, sag' ich, Mut!

Schweizer. Mut? Wenn's nur das ist — Mut hab' ich genug, um barfuß[3] mitten durch die Hölle zu gehen.

150

---

[4] good news
[5] to frustrate
[6] infamous actions
[7] mercy
[8] to whine for
[9] to expect
[10] vault, cellar
[10a] treated, rationed
[11] beast
[12] to provide for
[13] blockhead
[14] hare; coward
[15] to risk
[1] poor wretch
[2] as regards
[3] barefoot

Roller. Mut genug, mich[6] unterm lichten Gal=
gen[4] mit dem leibhaftigen[5] Teufel um einen
armen Sünder zu balgen[6].

Spiegelberg. Also denn! Wenn noch ein
Tropfen deutschen Heldenbluts in euren Adern
rinnt — kommt! Wir wollen uns in den böhmi=
schen Wäldern niederlassen, dort eine Räuber=
bande zusammenziehen[7] und — Was gafft[8] ihr
mich an? — Ist euer bißchen Mut schon ver=
dampft[9]?

Roller. So unrecht hat der Spiegelberg nicht.

Schweizer. Moritz, du bist ein großer Mann!
— Oder es hat ein blindes Schwein eine Eichel[10]
gefunden.

Roller. Du bist ein Meisterredner, Spiegel=
berg, wenn's darauf ankommt[11], aus einem ehr=
lichen Mann einen Halunken[12] zu machen —
Aber sag' doch einer, wo der Moor bleibt? . . .
Das Tier muß auch seinen Kopf haben. Auch
die Freiheit muß ihren Herrn haben.

Spiegelberg. Ja, Roller hat recht. Und das
muß ein erleuchteter[13] Kopf sein. . . . Ja, wenn
ich mir's denke, wo ihr vor einer Stunde waret,
und was ihr jetzt seid. . . .

Roller. Wenn sich's hoffen ließe . . . Aber
ich fürchte, er wird es nicht tun.

Spiegelberg. Warum nicht? Sag's keck[14]
heraus, Freund! — Vielleicht wird er's doch tun.

Roller. Und leck[15] ist das Ganze, wenn er's
nicht tut. Ohne den Moor sind wir Leib ohne
Seele.

Spiegelberg. Stockfisch!

(Moor kommt herein in wilder Bewegung
und läuft heftig im Zimmer auf und nieder.
Spricht zu sich:)

Moor. Menschen—Menschen! falsche, heuch=
lerische[1] Krokodilbrut! Ihre Augen sind Wasser,
ihre Herzen sind Erz! Küsse auf den Lippen,
Schwerter im Busen! . . . So eine rührende
Bitte! — Steine hätten Tränen vergossen . . .

Roller. Höre, Moor! Was denkst du da=
von? Ein Räuberleben ist doch besser als bei
Wasser und Brot im untersten Gewölbe der
Türme?

[4]gallows [5]in person
[6]to fight

[7]to gather [8]to gape at

[9]to evaporate

[10]acorn

[11]it is the point
[12]rascal

[13]enlightened

[14]boldly

[15]leaky

[1]hypocritical

151

Schwarz. Komm mit uns in die böhmischen Wälder! Wir wollen eine Räuberbande sammeln[1a], und du —

Schweizer. Du sollst unser Hauptmann sein! Du mußt unser Hauptmann sein!

Spiegelberg. Sklaven und Memmen[2]!

Moor. Wer blies dir das Wort ein?[3] Höre, Kerl, das hast du nicht aus deiner Menschenseele hervorgeholt! Wer blies dir das Wort ein? Ja, bei dem tausendarmigen Tod, das wollen wir! Das müssen wir! Räuber und Mörder! — So wahr meine Seele lebt, ich bin euer Hauptmann!

Alle. Es lebe der Hauptmann!

Spiegelberg. Bis ich ihm hinhelfe!

Moor. ... Tretet her um mich ein jeder, und schwöret mir Treu und Gehorsam zu bis in den Tod! — Schwört mir bei dieser männlichen Rechte[4]!

Alle. Wir schwören dir Treu und Gehorsam bis in den Tod!

Moor. Nun, und bei dieser männlichen Rechte schwör' ich euch hier, treu und standhaft euer Hauptmann zu bleiben bis in den Tod! ... Seid ihr's zufrieden?

Alle. Wir sind's zufrieden!

Moor. Nun dann, so laßt uns gehn! Fürchtet Euch nicht vor Tod und Gefahr, denn über uns waltet ein unbeugsames[5] Fatum! Jeden ereilet[6] endlich sein Tag, es sei auf dem weichen Kissen von Flaum[7] oder im rauhen Gewühl[8] des Gefechts[9] oder auf offenem Galgen und Rad, — eins davon ist unser Schicksal!

(Räuberszenen und Franzszenen wechseln. Karl und Franz kommen nie zusammen, so daß große Schauspieler das Kunststück[10] wagten, beide Rollen zu spielen.—Franz hat dem Vater und Amalia mitgeteilt, daß Karl im Kriege gefallen sei. Der alte Graf erkrankt, aber er stirbt nicht. Franz sperrt ihn in einen entlegenen[11] Turm im Walde und veranstaltet ein Leichenbegängnis. Er tritt das Erbe an. Aber Amalia gewinnt nicht; sie ist Karl über den Tod hinaus treu. — Karl hat eine starke Räuberbande

[1a]organize

[2]coward, poltroon
[3]*einblasen*, to prompt

[4]the right hand

[5]inflexible   [6]to overtake

[7]down   [8]bustle
[9]battle

[10]trick, stunt

[11]remote

152

gesammelt und führt einen rücksichtslosen[12]
Kampf gegen die Gesellschaftsordnung. Er
ist der "edle Räuber". Er verschont[13] an-
ständige[14] und wehrlose[15] Menschen, aber wo
er von Ungerechtigkeiten und Schandtaten[14a]
der Großen hört, greift er ein[1] und straft
erbarmungslos[1a] die Übeltäter.[1b] Er hält sich
für den irdischen Vertreter[2] der ewigen Gerechtigkeit. Ein Regiment Soldaten wird
aufgeboten[3], um die Bande unschädlich zu
machen[4]. Moor hat seine Leute ganz ein-
schließen lassen. *"Jetzt müssen sie fechten
wie Verzweifelte."* Bevor der Angriff beginnt, wird ein Unterhändler[5] ins Räuber-
lager geschickt.)

[12]reckless
[13]to spare
[14]honest [15]defenseless
[14a]shameful deed
[1]intervene
[1a]merciless
[1b]malefactor
[2]representative
[3]to call up, summon
[4]to destroy
[5]negotiator

Zweiter Akt, dritte Szene
(Verkürzt)

Pater. Ist das das Drachennest? — Mit
eurer Erlaubnis, meine Herren! Ich bin ein
Diener der Kirche, und draußen stehen siebzehnhundert, die jedes Haar auf meinen Schläfen
bewachen.

Schweizer. Bravo! bravo!

Moor. Schweig, Kamerad! — Sagen Sie
kurz, Herr Pater, was haben Sie hier zu tun?

Pater. Mich sendet die hohe Obrigkeit[6], die
über Leben und Tod spricht. — Ihr Diebe —
Ihr Mordbrenner[7] — ihr Schelme[8] — Aussatz[9]
der Menschheit — Kolonie für Galgen und Rad—

[6]authority
[7]incendiary [8]knave
[9]leprosy

Schweizer. Hund! hör' auf zu schimpfen[10]
oder —.

[10]to insult

Moor. Pfui doch, Schweizer, du verdirbst[10a]
ihm ja das Konzept[10a] — er hat seine Predigt so
brav auswendig gelernt. — Nur weiter, mein
Herr — „für Galgen und Rad?" —

[10a]you'll get him all
mixed up

Pater. Und du, feiner Hauptmann! Herzog
der Beutelschneider[11]! Gaunerkönig! — Das Ze-
tergeschrei[12] verlassener Mütter heult deinen
Fersen nach, Blut saufft du wie Wasser . . .

[11]cutpurse, pickpocket
[12]loud outcry

Moor. Sehr wahr! Sehr wahr! Nur weiter!

Pater. Was? Sehr wahr, sehr wahr? Ist
das auch eine Antwort?

Moor. Wie, mein Herr? Darauf haben
Sie sich wohl nicht gefaßt gemacht?[13] Weiter.

[13]to be prepared for

153

nur weiter! Was wollen Sie weiter sagen?

Pater. Schau um dich, Mordbrenner! Was nur dein Auge sehen kann, bist du eingeschlossen von unsern Reitern — hier ist kein Raum zum Entrinnen[14] mehr. — Höre denn, wie gütig das Gericht mit dir Bösewicht verfährt: wirst du jetzt gleich um Gnade und Schonung[14a] flehen, siehe, so wird die Gerechtigkeit eine liebende Mutter sein—sie drückt[15] das Auge[15] bei der Hälfte deiner Verbrechen zu[15] und läßt es — denk doch! — und läßt[1] es bei dem Rade bewenden[1].

(Die Räuber wollen auf ihn losgehen[2].)

Moor. Weg von ihm! Wag' es keiner, ihn anzurühren! Sehen Sie, Herr Pater, hier stehen Neunundsiebzig, deren Hauptmann ich bin, und draußen stehen Siebzehnhundert — aber hören Sie nun! so redet Moor, der Mordbrenner Hauptmann. Geh hin und sag dem Gericht, das über Leben und Tod würfelt[3]—: Ich bin kein Dieb. — Was ich getan habe, werd' ich ohne Zweifel einmal im Schuldbuch des Himmels lesen. — Sag ihnen, mein Handwerk[4] ist Wiedervergeltung[5] — Rache ist mein Gewerbe[6].

Pater. Du willst also nicht Schonung und Gnade? Gut, mit dir bin ich fertig[7]. So höret denn ihr, was die Gerechtigkeit euch durch mich zu wissen tut! — Werdet ihr jetzt gleich diesen Missetäter[8] gebunden überliefern, seht, so soll euch die Strafe eurer Greuel[9] bis auf das letzte Andenken erlassen[10] sein. — Die heilige Kirche wird euch verlorene Schafe mit erneuerter Liebe in ihren Mutterschoß[11] aufnehmen, und jedem von euch soll der Weg zu einem Ehrenamt[12] offen stehn. — Nun, nun? Wie schmeckt das, Eure Majestät? — Frisch also! Bindet ihn und seid frei!

Moor. Hört ihr's auch? Hört ihr? Was stutzt[13] ihr? Was steht ihr verlegen[14] da? . . . Ueberlegt[15] ihr noch? Ist es so schwer, zwischen Himmel und Hölle zu wählen? Helfen Sie doch, Herr Pater!

Pater. Ist der Kerl unsinnig?[1] — Sorgt[2] ihr etwa[3], daß dies eine Falle[4] sei? — Leset selbst, hier ist der Generalpardon unterschrieben. Könnt ihr noch zweifeln?

154

---

[14]escape

[14a]pardon

[15]to overlook

[1]to let it go at, to rest satisfied with
[2]to attack

[3]play at dice

[4]business
[5]retaliation   [6]trade

[7]through

[8]evil-doer
[9]atrocity
[10]to remit

[11]mother's lap
[12]post of honor

[13]to hesitate
[14]embarrassed
[15]to think over

[1]crazy   [2]to fear
[3]perhaps   [4]trap

Moor. Seht doch, seht doch! Was könnt ihr mehr verlangen? Unterschrieben mit eigner Hand ... Mich allein wollen sie haben, ich allein verdiene zu büßen[5] ... Wie, noch keine Antwort? Denkt ihr wohl gar, mit den Waffen noch durchzureißen?[6] Schaut doch um euch! Das werdet ihr doch nicht denken! Das wäre jetzt kindische Zuversicht[7] ... Oder glaubt ihr vielleicht, ich werde mich zur Wehr setzen[8], wenn ihr mich binden wollt? Seht! hier binde ich meine rechte Hand an diesen Eichenast; ich bin ganz wehrlos[9], ein Kind kann mich umwerfen.[9a] — Wer ist der erste, der seinen Hauptmann in der Not verläßt?

Roller. Wer kein Hund ist, rette den Hauptmann!

Schweizer. In unsern Kugeln Pardon! Fort, sag' dem Senat, der dich gesandt hat, du träfst unter Moors Bande keinen einzigen Verräter[10] an. Rettet, rettet den Hauptmann!

Alle. Rettet, rettet den Hauptmann!!!

Moor. Jetzt sind wir frei, Kameraden! Ich fühle eine Armee in meiner Faust — Tod oder Freiheit! Wenigstens sollen sie keinen lebendig haben!

(Die Räuber haben sich siegreich durch die Reihen der zwanzigmal stärkeren Feinde durchgeschlagen[11]. 300 Soldaten sind gefallen, und sie haben nur einen Mann verloren, Roller.)

Moor. ... Mein Roller starb einen schönen Tod. Man würde einen Marmor auf seine Gebeine setzen, wenn er nicht mir gestorben wäre. ... Dreihundert für einen! — Jeder von euch hat Anspruch[12] an diesen Scheitel![13] (Er entblößt[14] das Haupt.) ... So wahr meine Seele lebt! ... Bei den Gebeinen meines Roller! Ich will euch niemals verlassen[15].

(Von Heimweh[1] getrieben, zieht Moor in die Nähe des väterlichen Schlosses. Er entdeckt des Vaters Gefängnis und befreit ihn, aber der Alte stirbt, als er erfährt, daß er ein Opfer der Schurkerei[2] seines Sohnes

---

[5]to be punished

[5]to fight your way through

[7]confidence

[8]to offer resistance

[9]defenseless

[9a]overthrow

[10]traitor

[11]to fight one's way through

[12]to be entitled to
[13]head
[14]to uncover

[15]to desert

[1]homesickness

[2]villainy

155

Franz ist. Karl läßt das Schloß stürmen. Franz erdrosselt[3] sich selbst. Amalia will alles verzeihen, wenn Karl die Bande verläßt, aber er ist durch seinen Schwur an die Räuber gebunden. Er ersticht[4] die Geliebte.)

Moor. Ich hab' euch einen Engel geschlachtet — Seid ihr nunmehr zufrieden? . . . Ich höre von nun an auf, euer Hauptmann zu sein. . . . O über mich Narren, der ich wähnte[5], die Welt durch Greuel[6] zu verschönern und die Gesetze durch Gesetzlosigkeit aufrecht zu halten . . . Da steh' ich am Rand eines entsetzlichen Lebens und erfahre nun, daß zwei Menschen wie ich den ganzen Bau der sittlichen Welt zugrunde richten würden. Gnade dem Knaben, der dir vorgreifen[7] wollte — dein allein ist die Rache. Du bedarfst[8] nicht des Menschen Hand. Freilich steht's nun in meiner Macht nicht mehr, die Vergangenheit einzuholen[9]. . . . Aber noch blieb mir etwas übrig, womit ich die beleidigten Gesetze versöhnen[10] und die mißhandelte[11] Ordnung wiederum heilen kann. Sie bedarf eines Opfers — dieses Opfer bin ich selbst . . . Ich erinnere mich, einen armen Schelm[12] gesprochen zu haben, der im Taglohn[13] arbeitet und elf lebendige Kinder hat. — Man hat tausend Louisdore[14] geboten, wer den großen Räuber lebendig liefert. Dem Mann kann geholfen werden. (Er geht ab.)

Es ist leicht, die "Räuber" zu kritisieren, die Übertreibungen[15] und Unwahrscheinlichkeiten[1] zu tadeln. Niemand hat das schonungsloser und schärfer getan als Schiller selbst. In einer anonymen Selbstanzeige[2] schreibt er: *"Der Verfasser soll ein Arzt[3] sein . . . Ich möchte ihm lieber zehn Pferde als meine Frau zur Kur übergeben."* Trotzdem lebt das Stück noch heute, ja, es ist eines der lebendigsten von allen seinen Dramen, und wenn immer es aufgeführt wird, ist es des Erfolges sicher, denn niemand kann sich der hinreißenden[4] Gewalt des Werkes entziehen. Die Behandlung[5] der

[3] to strangle
[4] to stab
[5] to have the delusion
[6] atrocity
[7] to anticipate
[8] to need
[9] to make up for
[10] to reconcile
[11] to mistreat
[12] poor wretch
[13] daily wages
[14] *Goldstück, ungefähr $5*
[15] exaggeration
[1] improbability
[2] review of his play
[3] physician
[4] sweeping
[5] treatment

156

Szene, die Charaktere, die Kraft der Sprache, die Erweiterung[6] des Stoffes ins Allgemein-Menschliche, der tiefe moralische Gehalt trotz scheinbarer[7] Unmoral—verraten das Genie des geborenen Dramatikers und machen die Tragödie unsterblich.

Schillers zweites Jugenddrama, *Fiesco*, spielt im 16. Jahrhundert in der italienischen Republik Genua und schildert die Verschwörung[8] gegen einen Tyrannen. Der Aufstand[9] glückt[10], aber der Anführer, Fiesco, muß mit dem Tode büßen[11], da er selbst diktatorische Gelüste[12] hat.

Kabale und Liebe

ist ein "bürgerliches Trauerspiel" im Sinne Lessings und hat, wie "Emilia Galotti", den Kampf gegen die Willkür[13], Genußsucht[14] und Unsittlichkeit[14a] der Fürsten zum Gegenstand. Die beliebten Motive der bürgerlichen Trägödie, Standesunterschied, die "Frau zwischen zwei Männern" und der "Mann zwischen zwei Frauen", vereinigen sich mit den Intrigen niedriger[15] Höflinge[15a] und einer "Othello"-ähnlichen Eifersuchtstragödie zu einer komplizierten Handlung, die den Stoff für ein halbes Dutzend Dramen liefern könnte und geliefert hat. Es ist eine flammende Anklage gegen das "ancien régime" mit gewagten[1] Anspielungen[2] auf bestehende Verhältnisse[3].

(Die Schlußszene des zweiten Aktes ist ein Meisterstück dramatischer Bewegung.— Ferdinand, der Sohn des Präsidenten Walter, liebt Luise, die Tochter eines Musikanten. Aber der Vater hat andere Pläne mit ihm. Um der unerwünschten Liebschaft ein Ende zu machen, sucht der Präsident Luise in ihrer Wohnung auf[4].)

II. 5.

(Zimmer beim Musikanten)

(Miller. Frau Millerin. Luise. Ferdinand.)

. . .

Ferdinand. Ich liebe dich, Luise — Du sollst mir bleiben, Luise — Jetzt zu meinem Vater!

[6]expansion

[7]seeming

[8]plot, conspiracy
[9]revolt
[10]to succeed
[11]to atone
[12]desire

[13]arbitrariness
[14]thirst for pleasure
[14a]immorality

[15]mean
[15a]courtiers

[1]daring [2]allusion
[3]contemporary conditions

[4]*aufsuchen*, to go to see

II. 6.

(Der Präsident mit einem Gefolge[5] von Bedienten)

Präsident. Da ist er schon.

Ferdinand. Im Hause der Unschuld[6].

Präsident. Wo der Sohn Gehorsam gegen den Vater lernt? — (Zu Millern.) Er ist der Vater?

Miller. Stadtmusikant Miller.

Präsident (zu Luisen). Wie lang kennt sie den Sohn des Präsidenten?

Luise. Diesem habe ich nie nachgefragt[7]. Ferdinand besucht mich seit November.

Ferdinand. Betet sie an[8].

Präsident. Erhielt sie Versicherungen?[9]

Ferdinand. Vor wenigen Augenblicken die feierlichste[10] im Angesicht Gottes.

Präsident (zornig zu seinem Sohn). Zur Beichte d e i n e r Torheit[11] wird man dir schon das Zeichen geben. (Zu Luise.) Ich warte auf Antwort.

Luise. Er schwor mir Liebe.

Ferdinand. Und wird sie halten.

Präsident. Muß ich b e f e h l e n , daß du schweigst? (Zu Luise.) Nahm sie den Schwur an?

Luise. Ich erwiderte[12] ihn.

Ferdinand. Der Bund ist geschlossen.

Präsident. Ich werde das Echo hinauswerfen lassen. — (Zu Luise.) Aber er bezahlte sie doch[13] jederzeit bar?[14]

Luise. Diese Frage verstehe ich nicht ganz.

Ferdinand. Hölle! Was war das?

Luise. Herr von Walter, jetzt sind Sie frei.

Ferdinand. Vater! Ehrfurcht[15] befiehlt die Tugend auch im Bettlerkleid.

Präsident (lacht laut). Eine lustige Zumutung[1]! Der Vater soll die Hure[2] des Sohnes respektieren.

Ferdinand (indem er den Degen[3] nach dem Präsidenten zückt[4], ihn aber wieder sinken läßt.) Vater! Sie hatten einmal ein Leben an mich zu fordern[5]. Es ist bezahlt.

Miller (der bis jetzt furchtsam auf der Seite

[5] attendants, retinue

[6] innocence

[7] I have never cared for this one

[8] adores her

[9] assurances

[10] the most solemn

[11] folly

[12] to return

[13] I guess

[14] cash

[15] respect

[1] presumption   [2] whore

[3] sword

[4] to draw

[5] to demand

gestanden, tritt hervor.) Euer Exzellenz—Das Kind ist des Vaters Arbeit—Halten zu Gnaden[1]. Wer das Kind schilt[2], schlägt den Vater. Ohrfeig[3] um Ohrfeig—Das ist so Tax bei uns—Halten zu Gnaden.

[1]with your permission
[2]insult
[3]box on the ear; blow (for blow)

Frau. Hilf, Herr und Heiland!

Präsident. Regt sich[4] der Kuppler[5] auch? — Wir sprechen uns gleich, Kuppler.

[4]to move, stir [5]procurer

Miller. Halten zu Gnaden. Ich heiße Miller, wenn Sie ein Adagio hören wollen — mit Buhlschaften[6] dien' ich nicht. So lang der Hof da noch Vorrat[7] hat, kommt die Lieferung[8] nicht an uns Bürgerleute. Halten zu Gnaden.

[6]love affairs
[7]stock, store [8]delivery

Frau. Um des Himmels willen, Mann! Du bringst[9] Weib und Kind um[9].

[9]to kill

Ferdinand. Sie spielen hier eine Rolle, mein Vater, wobei Sie sich wenigstens die Zeugen hätten ersparen können[10].

[10]you could have done without witnesses

Miller (kommt immer näher). Deutsch und verständlich. Halten zu Gnaden. Euer Exzellenz schalten[11] und walten[11] im Land. D a s ist meine Stube[12]. Mein devotestes Kompliment, wenn ich einmal ein Promemoria[13] bringe, aber den ungehobelten[14] Gast werf' ich zur Tür hinaus — Halten zu Gnaden.

[11]to command at will
[12]room
[13]petition
[14]uncouth, rude

Präsident (vor Wut blaß). Was? — Was ist das?

Miller. Das war nur so meine Meinung, Herr — Halten zu Gnaden.

Präsident. Ha, Spitzbube[15]! Ins Zuchthaus[1]! Fort! Man soll Gerichtsdiener[2] holen. — Vater ins Zuchthaus — an den Pranger[3] Mutter und Metze[4] von Tochter. . . .

[15]scoundrel [1]prison
[2]bailiff
[3]pillory
[4]harlot, · whore

Ferdinand (zu den Millers). Seid außer Furcht! Ich bin da. — (Zum Präsidenten.) Keine Übereilung[5], mein Vater. — Es gibt eine Gegend in meinem Herzen, worin das Wort Vater noch nie gehört worden ist. . . .

[5]undue haste

Präsident. Schweig!

II. 7.

(Gerichtsdiener treten ein.)

Präsident. Legt Hand an![6]

[6]to lay hands on

Frau (wirft sich auf die Knie). Erbarmung, Ihro Exzellenz! Erbarmung! Erbarmung!

159

Miller (reißt seine Frau in die Höhe). Knie vor Gott, und nicht vor — Schelmen[7], weil ich ja doch[8] schon[8] ins Zuchthaus muß.

Präsident. Du kannst dich verrechnen[9], Bube. Es stehen noch Galgen leer! (Zu den Gerichts= dienern.) Muß ich es noch einmal sagen?

Gerichtsdiener (dringen auf Luise ein).

Ferdinand (stellt sich vor sie). Wer will was? Wag' es, sie anzurühren! — Treiben Sie mich nicht weiter, mein Vater.

Präsident (drohend zu den Gerichtsdienern). Wenn euch euer Brot lieb ist, Memmen —

Gerichtsdiener (greifen Luise wieder an).

Ferdinand. Tod und alle Teufel! Ich sage: Zurück! — Noch einmal! Treiben Sie mich nicht aufs äußerste, Vater.

Präsident (aufgebracht[10] zu den Gerichtsdie= nern). Ist das euer Diensteifer[11], Schurken?

Ferdinand. Wenn es denn sein muß (indem er den Degen zieht und einige verwundet), so verzeih mir, Gerechtigkeit!

Präsident (voll Zorn). Ich will doch sehen, ob auch ich diesen Degen fühle. (Er faßt Luise, zerrt[12] sie in die Höhe und übergibt sie einem Gerichtsdiener.) Fort mit ihr!

Ferdinand. Vater, sie soll an dem Pranger stehen, aber mit dem Major[13], des Präsidenten Sohn — Bestehen Sie noch darauf[14]?

Präsident. Desto possierlicher[15] wird das Spektakel — Fort!

Ferdinand. Vater, ich werfe meinen Offiziers= degen auf das Mädchen — Bestehen Sie noch darauf?

Präsident. Das Portepee[1] ist an deiner Seite des Prangerstehens gewohnt worden — Fort! Fort!

Ferdinand (stößt einen Gerichtsdiener weg, faßt Luise mit einem Arm, mit dem andern zückt er den Degen auf sie). Vater! Eh' Sie meine Gemahlin[2] beschimpfen[3], durchstoß' ich sie — Be= stehen Sie noch darauf?

Präsident. Tu es!

Ferdinand (blickt zum Himmel). Du, All= mächtiger, bist Zeuge! Kein menschliches Mittel

160

---

[7]rascal

[8]anyway

[9]miscalculate

[10]angrily

[11]zeal in service

[12]to drag

[13]*Ferdinand ist Major in der Armee*

[14]do you still insist?

[15]funny

[1]sword-knot

[2]bride [3]insult

ließ ich unversucht[3a] — Ihr führt sie zum Pranger fort, unterdessen (dem Präsidenten ins Ohr rufend) erzähl ich der Residenz[4] eine Geschichte, **wie man Präsident wird**! (Ab.)

Präsident (wie vom Blitz gerührt). Was ist das? Ferdinand! — Laßt sie ledig[5]!

(Der Anschlag[6] des Präsidenten ist mißglückt[7]. Ferdinand weiß, daß sein Vater, um Präsident zu werden, durch Intrigen seinen Vorgänger aus dem Wege[8] geräumt[8] hat, und er ist entschlossen, seinen Vater um seiner Liebe willen zu opfern. Der schurkische *Wurm*, des Präsidenten Sekretär, der Luise liebt, ersinnt[9] einen anderen Plan.)

III. 5.

(Luise allein.)

Luise. Wo meine Eltern bleiben? — Mein Vater versprach, in wenigen Minuten zurück zu sein, und schon sind fünf volle fürchterliche Stunden vorüber. — Wenn ihm ein Unfall[10] —

III. 6.

(Verkürzt)

(Luise und Sekretär Wurm)

Wurm. Guten Abend, Jungfer[11].

Luise. Gott! Wer spricht da? — Schrecklich! — (Mit einem Blick voll Verachtung[12].) Suchen Sie etwa den Präsidenten? Er ist nicht mehr da.

Wurm. Jungfer, ich suche Sie.

Luise. Was steht Ihnen zu Diensten?[13]

Wurm. Ich komme, geschickt von ihrem Vater.

Luise. Von meinem Vater? — Wo ist er?

Wurm. Wo er nicht gern ist.

Luise. Um Gotteswillen! Geschwind! — Wo ist mein Vater?

Wurm. Im Turm, wenn Sie es ja wissen wollen.

Luise. Das noch! Das auch noch! — Im Turm? Und warum im Turm?

Wurm. Auf Befehl des Herzogs.

Luise. Das war noch übrig! — Mein Herz hatte noch außer dem Major etwas Teures ——

[3a] untried
[4] capital
[5] free
[6] plot
[7] to fail
[8] to remove
[9] to devise
[10] accident
[11] *Im 18. Jhdt. die gebräuchliche Anrede bürgerlicher Mädchen*
[12] contempt
[13] what can I do for you?

161

das durfte nicht übergangen werden[14]. — Und
Ferdinand?

Wurm. Wählt Lady Milford, oder Fluch[15]
und Enterbung.

Luise. Entsetzliche Freiheit! — Wahrlich bewundernswert! Eine vollkommene Büberei[1] ist
auch eine Vollkommenheit — Vollkommenheit?
Nein! Dazu fehlt noch etwas — Wo ist meine
Mutter?

Wurm. Im Spinnhaus[2].

Luise. Jetzt ist es völlig![3] — Haben Sie vielleicht noch eine Nachricht? Reden Sie! Jetzt
kann ich alles hören.

Wurm. Was geschehen ist, wissen Sie.

Luise. Also nicht was noch k o m m e n wird.
—Armer Mensch! du treibst ein trauriges Handwerk, wobei du unmöglich selig[4] werden kannst.
Unglückliche m a c h e n , ist schon schrecklich
genug, aber gräßlich[5] ist's, es ihnen v e r k ü n =
d i g e n[6]. — Was kann noch geschehen?

Wurm. Ich weiß nicht.

Luise. Sie w o l l e n nicht wissen.

Wurm. Fragen Sie nichts mehr.

Luise. Höre, Mensch! Du gingst beim Henker[7] zur Schule. — Was wartet auf meinen
Vater?

Wurm. Ein Kriminal=Prozeß.

Luise. Was ist das? Was heißt Kriminal
Prozeß?

Wurm. Gericht um Leben und Tod.

Luise. So dank' ich Ihnen. (Sie eilt schnell
in ein Seitenzimmer.)

Wurm (steht betroffen[8] da). Wo will das
hinaus?[9] Sollte die Närrin etwa? — Teufel!
Sie wird doch nicht — Ich eile ihr nach — ich
muß für ihr Leben bürgen[10]. (Im Begriff, ihr
zu folgen.)

Luise (kommt zurück, einen Mantel umgeworfen). Verzeihen Sie, Sekretär. Ich schließe das
Zimmer.

Wurm. Und wohin denn so eilig?

Luise. Zum Herzog. (Will fort.)

Wurm. Was? Wohin? (Er hält sie erschrocken zurück.)

162

[14]to pass by

[15]curse

[1]rascality

[2]workhouse

[3]complete

[4]happy, blissful

[5]terrible

[6]to announce

[7]hangman

[8]confounded

[9]What is she driving at?

[10]to vouch

Luise. Zum Herzog. Hören Sie nicht? Zu eben dem[11] Herzog, der meinen Vater auf Tod und Leben will richten lassen — Nein! nicht w i l l — m u ß richten lassen, weil einige Bösewichter[12] wollen.

Wurm (lacht überlaut). Zum Herzog?

Luise. Ich weiß, worüber Sie lachen — aber ich will ja auch kein Erbarmen dort finden — Gott bewahre[13] mich! Nur E k e l[14] — Ekel nur an meinem Geschrei. — Man hat mir gesagt, daß die Großen der Welt noch nicht belehrt[15] sind, was E l e n d[1] ist — nicht w o l l e n belehrt sein. Ich will ihm sagen, was Elend ist. . . .

Wurm (boshaft[2] freundlich). Gehen Sie, o ja, gehen Sie! Sie können wahrlich nichts Klügeres tun. Ich rate es Ihnen, gehen Sie, und ich gebe Ihnen mein Wort, daß der Herzog willfahren[3] wird.

Luise. Wie sagen Sie? — Sie raten mir selbst dazu? — Hm! Was will ich denn? Etwas Abscheuliches[4] muß es sein, weil dieser Mensch dazu ratet. — Woher wissen Sie, daß der Fürst mir willfahren wird?

Wurm. Weil er es nicht umsonst[5] tun wird.

Luise. Nicht umsonst? Welchen Preis kann er auf eine Menschlichkeit[6] setzen?

Wurm. Die schöne Supplikantin ist Preises genug.

Luise. Allgerechter!

Wurm. Und einen V a t e r werden Sie doch, will ich hoffen, um diese gnädige[7] Taxe nicht überfordert[8] finden?

Luise (außer Fassung[9]). Helfe dir der Allmächtige, Vater! Deine Tochter kann für dich sterben, aber nicht sündigen.

Wurm. Das mag ihm wohl eine Neuigkeit sein, dem armen verlassenen[10] Mann. — „Meine Luise," sagte er mir, „hat mich zu Boden geworfen. Meine Luise wird mich wieder aufrichten[11]." — Ich eile, Mamsell, ihm die Antwort zu bringen. (Stellt sich[12], als ob er ginge.)

Luise (hält ihn zurück). Bleiben Sie! Geduld! Wie flink[13] dieser Satan ist, wenn es gilt, Menschen rasend[14] zu machen! — Ich hab' ihn

[11]to the same
[12]villain
[13]God forbid!
[14]disgust, horror
[1]misery
[2]spiteful
[3]to grant a person's wish
[4]detestable
[5]for nothing
[6]a deed of humanity
[7]gracious
[8]overcharged (I hope you will not find yourself overcharged)
[9]disconcerted
[10]forsaken
[11]to raise up
[12]pretend
[13]quick
[14]crazy

niedergeworfen. Ich muß ihn aufrichten. — Reden Sie! Raten Sie! Was kann ich — was m u ß ich tun?

Wurm. Es ist nur e i n Mittel.

Luise. Dieses einzige Mittel —?

Wurm. Auch Ihr Vater wünscht —

Luise. Auch mein Vater? — Was ist das für ein Mittel?

Wurm. Es ist Ihnen leicht.

Luise. Ich kenne nichts Schwereres als die Schande[15].

[15]shame

Wurm. Wenn Sie den Major wieder frei machen wollen.

Luise. Von seiner Liebe? Spotten Sie meiner[1]? — Das meiner Willkür[2] zu überlassen, wozu ich gezwungen ward?

[1]Do you mock me?
[2]discretion

Wurm. So ist es nicht gemeint, liebe Jungfer. Der Major muß zuerst und freiwillig[3] zurücktreten[4].

[3]voluntary, spontaneous
[4]to withdraw

Luise. E r w i r d n i c h t !

Wurm. So scheint es. Würde man denn wohl seine Zuflucht[5] zu Ihnen nehmen[5], wenn nicht Sie allein dazu helfen könnten?

[5]to have recourse to

Luise. Kann ich ihn zwingen[6], daß er mich hassen muß?

[6]to force

Wurm. Wir wollen versuchen[7]. — Setzen Sie sich. — Schreiben Sie! — Hier ist Feder, Papier und Tinte.

[7]let us try

Luise. Was soll ich schreiben? An wen soll ich schreiben?

Wurm. An den Henker Ihres Vaters.

Luise. Ha! Du verstehst[8] dich darauf[8], Seelen auf die Folter[9] zu schrauben[9]. (Ergreift eine Feder.)

[8]you know how
[9]to put to the torture

Wurm (diktiert). „Gnädiger Herr[10]" —

[10]Sir,

Luise (schreibt mit zitternder[11] Hand).

[11]trembling

Wurm. „Schon drei unerträgliche[12] Tage sind vorüber[13] — sind vorüber — und wir sahen uns nicht."

[12]intolerable
[13]have elapsed

Luise (legt die Feder weg). An wen ist der Brief?

Wurm. An den Henker Ihres Vaters.

Luise. O mein Gott!

Wurm. „Halten[14] Sie sich deswegen an[14] den

[14]keep the major responsible for

Major — der mich — den ganzen Tag — wie ein Argus hütet[15]."

to guard, watch[15]

Luise (springt auf). Büberei[1], wie noch keine erhört worden! An wen ist der Brief?

infamy[1]

Wurm. An den Henker Ihres Vaters.

Luise (auf und nieder). Nein! nein! nein! — Macht, was Ihr wollt. Ich schreibe das nimmermehr.

Wurm (greift nach dem Hut). Wie Sie wollen, Mademoiselle! Das steht ganz in Ihrem Belieben[2].

it rests with you[2]

Luise. Belieben, sagen Sie? In meinem Belieben? — Diktieren Sie weiter! Ich denke nichts mehr. Ich weiche[3] der überlistenden[4] Hölle.[4] (Sie setzt sich wieder.)

to yield[3]
superior cunning of Hell[4]

Wurm. "Den ganzen Tag wie ein Argus hütet" — Haben Sie das?

Luise. Weiter! Weiter!

Wurm. "Wir haben gestern den Präsidenten im Haus gehabt. Es war possierlich zu sehen, wie der gute Major um meine Ehre sich wehrte[5]." —

to defend[5]

Luise. O schön, schön! o herrlich! — Nur immer fort.

Wurm. "Ich nahm meine Zuflucht[6] zu einer Ohnmacht[7] — zu einer Ohnmacht — daß ich nicht laut lachte."

refuge[6]
swoon[7]

Luise. O Himmel!

Wurm. "Aber bald wird meine Maske unerträglich — unerträglich — . Wenn ich nur loskommen[8] könnte" —

to get away[8]

Luise (steht auf, setzt sich wieder und schreibt weiter). "Loskommen könnte" —

Wurm. "Morgen hat er Dienst[9] — Passen[10] Sie ab[10], wenn er von mir geht, und kommen Sie an den bewußten[11] Ort" — Haben Sie "bewußten"? —

to be on duty[9]
to look out[10]
known[11]

Luise. Ich habe alles!

Wurm. "An den bewußten Ort zu Ihrer zärtlichen[12] . . . Luise."

affectionate[12]

Luise. Nun fehlt die Adresse noch.

Wurm. "An Herrn Hofmarschall[13] von Kalb."

Lord Chamberlain[13]

Luise. Ewige Vorsicht[14]! Ein Name, so fremd meinen Ohren, als meinem Herzen diese schänd-

Eternal Providence[14]

165

lichen[15] Zeilen. (Sie steht auf und betrachtet das Geschriebene, endlich reicht sie es dem Sekretär mit erschöpfter[1] Stimme.) Nehmen Sie, mein Herr. Es ist mein ehrlicher Name — es ist Ferdinand — es ist die ganze Wonne[2] meines Lebens, was ich jetzt in Ihre Hände gebe — Ich bin eine Bettlerin.

Wurm. O nein doch![3] Verzagen[4] Sie nicht, liebe Mademoiselle. Ich habe herzliches Mitleid[5] mit Ihnen. Vielleicht — wer weiß? — Ich könnte mich wohl über gewisse Dinge hinwegsetzen[6]. — Wahrlich![7] Bei Gott! Ich habe Mitleid mit Ihnen.

Luise. Reden[8] Sie nicht aus[8], mein Herr. Sie sind auf dem Wege[9], sich etwas Entsetzliches zu wünschen.

Wurm (will ihre Hand küssen). Gesetzt[10], es wäre diese niedliche[11] Hand — Wieso, liebe Jungfer?

Luise. Weil ich dich in der Brautnacht[12] erdrosselte[13] und mich dann mit Wollust[14] aufs Rad flechten[15] ließe. . . . — Sind wir jetzt fertig, mein Herr? Darf die Taube[1] nun fliegen?

Wurm. Nur noch eine Kleinigkeit[2], Jungfer. Sie müssen mit mir und das Sakrament darauf nehmen, diesen Brief für einen freiwilligen zu erkennen. (Zieht sie fort.)

(Der Streich[3] gelingt. Ferdinand findet den Brief. In rasender Eifersucht eilt er zu Luise. Sie darf nicht reden. Ferdinand vergiftet sie und sich selbst. Sterbend erzählt sie die Wahrheit. Der Präsident will die Schuld[4] auf Wurm wälzen[4], aber dieser überliefert sich und den Präsidenten dem Gerichte.)

Mit "Kabale und Liebe" ist Schillers "Sturm und Drang"-Zeit abgeschlossen.

[15]infamous

[1]exhausted

[2]happiness

[3]not at all [4]to despair
[5]sympathy

[6]to put up with
[7]sure

[8]do not finish!

[9]you are about

[10]suppose

[11]cute

[12]nuptial night
[13]to strangle [14]lust
[15]to twist

[1]pigeon

[2]trifle

[3]plot

[4]to lay the blame on

QUESTIONS

WORD LIST

Since this text is designed for students who have a knowledge of elementary German, the following types of words and groups of words have been omitted from the Word List:

a) all words listed in the *Minimum Standard German Vocabulary* (New York: Crofts, 1934);

b) words that are given in marginal notes, unless they appear in more than one passage of the main text;

c) articles, numerals, pronouns, pronominal adjectives, adverbs, propositions, names of the months and days of the week;

d) compounds of which the meaning is obvious from the components;

e) all diminutives in *-chen* and *-lein* where meanings are exactly parallel to the regular form.

Plurals of nouns and vowel changes of strong verbs are given in the traditional way. Where no plural of a noun is listed, it is not used or only very seldom.

FRAGEN

Die mittelhochdeutsche Zeit

1. Welche Zeit nennt man die althochdeutsche Zeit?
2. Wann und von wem wurde der Heliand verfaßt?
3. Welche Zeit wird die mittelhochdeutsche Zeit genannt?
4. In wessen Händen lag die Dichtkunst in der althochdeutschen Zeit?
5. Wo sangen die Spielleute ihre Lieder?
6. Nennen Sie zwei deutsche Volksepen!
7. Welches war die Blütezeit der mittelhochdeutschen Dichtung?
8. Nennen Sie Personen des Nibelungenliedes!
9. Wie unterscheiden sich Minnesang und höfische Epik?
10. Wie unterscheiden sich Volksepos und höfisches Epos?
11. Wovon erzählt Wolframs Parzival?
12. Was symbolisiert der Gral?
13. Welche höfische Epen hat Wagner als Opern bearbeitet?
14. Wie unterscheiden sich Minnesang und Meistersang?

Das 16. Jahrhundert

1. Welche Bedeutung hatten Humanismus und Reformation für die deutsche Dichtung?
2. Was ist das Wesen des Mystizismus und wofür tritt er ein?
3. Was ist der Humanismus und welche Kunstperiode führt er herbei?
4. Warum übersetzte Luther die Bibel?
5. Woraus schuf Luther die neuhochdeutsche Sprache?
6. Welche Bedeutung hatte die gemeinsame Sprache für Deutschland?
7. Welches Lied Luthers ist besonders berühmt?
8. Wer war Ulrich von Hutten?
9. Wie dachten die Reformatoren über das Drama?
10. Was wissen Sie von Hans Sachs?
11. In welcher deutschen Oper ist er verherrlicht worden?
12. Was sind Fastnachtsspiele?
13. Was versteht man unter dem Meistersang?
14. Was sind Volkslieder?
15. Was versteht man unter einem Volksbuch?
16. Welche Bedeutung haben die Volksbücher für die Entwicklung der deutschen Literatur gehabt?
17. Was ist das Eulenspiegel-Buch?
18. In welchem Buche der Zeit wurden die Kleinstädter verspottet?
19. Wie ist es zu erklären, daß die Literatur des 16. Jahrhunderts so reich ist an polemischen und satirischen Schriften?

Das 17. Jahrhundert und die vorklassische Zeit

1. Welche Folgen hatte der 30jährige Krieg?
2. Welcher neue Stand ging aus der humanistischen Bewegung hervor?
3. Wie stellten sich die Gelehrten des 17. Jahrhunderts zum Volk?
4. Wie zeigte sich der französische Einfluß in der deutschen Sprache?
5. Was wollten die Sprachgesellschaften?
6. Was versteht man unter Gelegenheitsdichtung?
7. Warum ist der "Simplizissimus" ein so wichtiges Werk?
8. Was ist charakteristisch für die Gelehrtendichtung?
9. Was war das Neue in Christian Günthers Gedichten?
10. Welche Hauptthemen hatte die anakreontische Dichtung?
11. Welche Funktion hat die Dichtkunst in den Augen der Anakreontiker?
12. Was versteht man unter Weltliteratur?
13. Welche Haltung nahm Friedrich der Große zur deutschen Literatur ein?
14. Welche Dichter führten die Blütezeit der deutschen Literatur herbei?
15. Wodurch wurde Klopstock zu seinem "Messias" angeregt?
16. Welche Bedeutung hatte Klopstock für die deutsche Sprache?
17. Vergleichen Sie Wieland mit Klopstock in ihrer Gegensätzlichkeit!
18. Worin besteht Wielands Bedeutung?
19. Aus welchen Quellen ist Wielands "Oberon" geschöpft?
20. Welche Bedeutung hatten die englischen Schauspieler für Deutschland?
21. Was sind Gottscheds Ansichten über das Wesen der Dichtkunst?
22. Was ist Gottscheds Vorbild für das Theater?
23. Was war das Neue in Lessings "Miss Sara Sampson"?
24. Wen sollte sich nach Lessings Meinung die deutsche Literatur zum Vorbild nehmen?
25. Wie unterschied sich Lessings "Minna von Barnhelm" von den Theaterstücken der Zeit?
26. Welches sind die beiden Hauptmotive in Lessings "Emilia Galotti"?
27. Was ist der Leitgedanke in Lessings "Nathan"?
28. Worin liegt die literarhistorische Bedeutung von Lessings "Nathan"?
29. Welche Eigenschaften haben Lessing in besonderem Maße zum Kritiker befähigt?
30. Durch welches kritische Werk hat Lessing das deutsche Drama maßgebend beeinflußt?
31. In welchem Sinne kann Lessing ein Befreier genannt werden?

Goethe

1. Wann und wo wurde Goethe geboren?
2. Was ist Ihnen über seine Familienverhältnisse bekannt?
3. Welches sind die beiden großen Erlebnisse, die er in Straßburg hatte? .
4. Auf wessen Einladung ging Goethe nach Weimar?
5. Durch welche beiden Werke wurde er schnell bekannt?
6. Welche Reise was für Goethes Entwicklung die wichtigste?
7. Welche Werke vollendete er in Italien?
8. Welche Wissenschaften interessierten ihn besonders?
9. Welche Frauen spielen in Goethes Leben eine bedeutende Rolle?
10. Welche Bedeutung hatte für Goethe seine Freundschaft mit Schiller?
11. Welche von Goethes Gedichten sind Ihnen bekannt?
12. Wodurch unterscheiden sich Goethes Gedichte der Straßburger Zeit von denen, die er in Leipzig geschrieben hatte?
13. Welche Ideen beherrschen Goethes Gedankenlyrik?
14. Vergleichen Sie "Heidenröslein" mit "Gefunden"!
15. Welche Romane Goethes sind Ihnen bekannt?
16. Nennen Sie Epen Goethes!
17. In welchem Buche hat Goethe einen Teil seines Lebens beschrieben?
18. Was sieht Goethe als das ethische Ziel des Lebens an?

Schiller

1. Wann wurde Schiller geboren und wann starb er?
2. Wie unterscheiden sich Goethes und Schillers Kunst?
3. Welcher von beiden war der größere Dramatiker?
4. Was erzeugte in Schiller seine glühende Freiheitsschwärmerei?
5. Welche seiner Dramen sind aus dieser Schwärmerei entstanden?
6. Warum floh Schiller aus Stuttgart?
7. Nennen Sie zwei Geschichtswerke Schillers!
8. Welche Bedeutung hatte Weimar für Schiller?
9. Wo können wir nachlesen, was Schiller und Goethe über Fragen der Kunst und Literatur gedacht haben?
10. Welche Bedeutung hatte die Freundschaft der beiden Dichter für die deutsche Literatur?
11. Was gefällt an den "Räubern" heute noch?
12. Welche Motive finden sich in "Kabale und Liebe"?

WORD LIST

abgesehen von apart from, except
ab-leiten to derive
achtlos careless
albern silly, foolish
anders otherwise
an-geben a, e to indicate, to show
der **Anhänger** follower; enthusiast
an-knüpfen to take up where . . . left off
an-kommen a, o to arrive; **darauf a.** to depend upon
an-nehmen a, o to accept; to assume
an-regen to suggest; to inspire
die **Anregung -en** stimulation, stimulus; suggestion
anscheinend apparent, seeming
an-sprechen a, o to address
an-stellen to appoint; to arrange
der **Anteil -e** share; **A. nehmen** to sympathize
auf-bieten o, o to raise; to summon
auf-fassen to understand; to perceive
die **Auffassung -en** view, interpretation
auf-gehen i, a to rise, to come up
auf-halten ie, a to stop; **sich a.** to reside
auf-heben o, o to pick up; to raise up; to keep
auf-kommen a, o to get up; **a. für** to pay for
auf-nehmen a, o to take in, to absorb
auf-wecken to wake up
auf-zwingen a, u to force upon
aus-legen to interpret; to disburse
aus-machen to settle; to constitute
aus-sehen a, e: a. wie to look like
aus-wirken: sich a. to work out
bebauen to cultivate
der **Bediente -n** servant

begleichen i, i to pay
begründen to found, to establish
beichten to confess
bei-wohnen to attend
bekämpfen to oppose
bekräftigen to confirm
belesen well-read
bereits already
der **Beruf -e** vocation, calling
beschämen to make ashamed
beschränken to limit
beschränkt narrow, dull
beschwerlich troublesome
bestechen a, o to bribe, to corrupt
bestürzt perplexed, upset
die **Bestürzung** consternation
bewährt proven
bewältigen to master
die **Beziehung -en** relation; reference
bezwingen a, u to subdue, to conquer
der **Bösewicht -e(r)** villain
boshaft spiteful, malicious
der **Briefwechsel** correspondence
das **Bruchstück -e** fragment
brüsten: sich b. to boast
bürgerlich bourgeois, middle-class
darben to starve
dar-legen to put forth, to explain
dauernd continuous; lasting
der **Dolch -e** dagger
der **Drache -n** dragon
drüben over there
durchweg altogether
ehrbar respectable
die **Ehrfurcht** reverence
ehrsam respectable
eindeutig unequivocal
ein-fallen ie, a to invade; to occur
eingebildet conceited
einzigartig unique

der **Ekel** disgust
emsig assiduous
enterben to disinherit
entfernt remote
entlassen ie, a to discharge, to dismiss
entlegen remote
entrinnen a, o to escape
entwinden a, u to wrest from
entzweien to disunite; **sich e.** to fall out
erbarmen: sich e. to have mercy
erdichten to invent
erlassen ie, a to remit
ermahnen admonish
ermuntern to encourage
erschlagen u, a to slay, to kill
erschließen o, o to open
ersehnen to long for
ertönen to resound
die **Falte -n** fold; wrinkle
die **Fassung -en** wording, version; composure
feindselig hostile
flink quick
foltern to torture
der **Freier** suitor
der **Galgen** gallows
gebildet educated, cultured
der **Geistliche -n** clergyman
geistreich, geistvoll full of esprit
gelassen composed
das **Gemüt -er** soul, heart
der **Genoß, Genosse -n** companion
genötigt compelled
geschäftig busy
getrauen: sich g. to dare
gewillt willing, disposed
gräßlich horrible
der **Greuel** horror, atrocity
großmütig generous
heran-nahen to approach, to draw near
heraus-geben a, e to publish; to deliver

herbei-führen to bring about
herum around
heucheln to feign
heuchlerisch hypocritical
hilfreich helpful
hin-geben a, e: sich h. to devote oneself
hin-weisen ie, ie to refer to; to point out
hinzu-fügen to add
holdselig charming, lovely
der **Hüter** keeper, guardian
insgeheim secretly
karg stingy
kärglich poor, scanty
keinesfalls by no means
kläglich lamentable
kümmerlich miserable, scanty
lärmen to make noise
lebhaft lively, animated
die **Liebschaft -en** love affair
das **Lustspiel** comedy
märchenhaft fabulous
mengen to mix
das **Mittelalter** the Middle Ages
mittellos penniless, destitute (of means)
der **Mittelstand** middle classes
das **Morgenland** Orient
murren to grumble
der **Müßiggänger** idler, loafer
das **Muster** model; pattern; sample
mustergiltig exemplary
der **Mutwille** wantonness, mischievousness
der **Nachkomme -n** descendant
necken to tease
nichtswürdig vile, worthless
die **Note -n** note
obwohl although
pflücken to pick
plump clumsy
pochen to knock, to pound
prahlen to boast, to brag
rasen to rage

raten ie, a to guess; to counsel
die Rechte right hand
rege stirring, active
regelmäßig regular
der Ritt -e ride
die Ritterlichkeit -en chivalry
die Saite -n string, chord
die Salbe -n ointment
der Schädel skull
der Schauer awe, horror
schauerlich horrible, awful
der Schelm -e knave
schlachten to slaughter, to kill
der Schriftsteller writer, author
der Schurke -n scoundrel, rascal
der Schweif -e tail
schwülstig bombastic, inflated
sehnsüchtig, sehnsuchtsvoll yearning, longing
siech sick, infirm
sinnlos senseless, nonsensical
der Spitzbube -n scoundrel, rogue
ständig permanent, continuous
steif stiff
die Steuer -n tax
stottern to stutter
der Strauß -e ostrich; bouquet
der Strick -e cord, rope
die Strophe -n stanza, verse
strotzen to swell, to bulge
stutzen to be startled, to stop short
sühnen to atone for, expiate
die Taube -n pigeon, dove
die Tracht -en dress, costume
trachten to strive, to endeavor
das Trauerspiel -e tragedy
überleben to outlive; survive
der Überlebende -n survivor
überlisten to outwit, to dupe
die Umgangssprache -n colloquial speech
unablässig incessant
unbedenklich unhesitating
unbefugt unauthorized
unbesorgt unconcerned

unbestritten undisputed
ungehalten indignant
ungemein uncommon
ungenannt anonymous
unhaltbar untenable
unmäßig immoderate
unparteiisch, unparteilich impartial
unterschlagen u, a to embezzle
unvereinbar incompatible
unvermutet unexpected
unwiderstehlich irresistible
unzulänglich inadequate
verarmt impoverished
verbringen a, a to spend
vereiteln to frustrate
vergnügt cheerful
das Verhältnis -nisse condition; relation
verharren to remain
verheeren to devastate
verleihen ie, ie to lend, to confer upon, to grant
verloben: sich v. to become engaged
verüben to commit
verwitwet widowed
vollbringen to accomplish
vornehm distinguished, noble
die Vorrede -n perface
die Vorsehung Providence
weg-denken a, a to conceive of . . . without
welken to fade, to wither
die Wertschätzung esteem, high regard
wieder-auf-nehmen a, o to resume
wimmeln to swarm, to teem
wimmern to whimper, to whine
winden a, u to wind, to bind
winseln to whimper, to whine
der Wirt innkeeper
die Wollust lust, sensual pleasure
womöglich if possible
zanken to quarrel

der **Zeitvertreib** pastime, amusement

zerbrechen a, o to break (to pieces)

zerren to drag, to pull

zitieren to quote

zugrunde gehen to perish

zugrunde liegen be at the bottom

zustande-kommen a, o to come about

zu-stoßen ie, o to happen, to befall

zu-treffen a, o to prove right

INDEX

(All references are to pages. Italics indicate that at least selections of the work are given.)

176